W9-ARN-274

БЕСПРИНЦЫПНЫЕ ЧТЕНИЯ

от "А" до "Ч"

НАРИНЭ **АБГАРЯН**
АЛЕКСАНДР **БОРОВСКИЙ**
АЛЕКСАНДР **СНЕГИРЁВ**
АЛЕКСАНДР **ЦЫПКИН**
АНДРЕЙ **АСТВАЦАТУРОВ**
АЛЕКСАНДР **МАЛЕНКОВ**
САША **ФИЛИПЕНКО**
ЕВГЕНИЙ **ЧЕШИРКО**

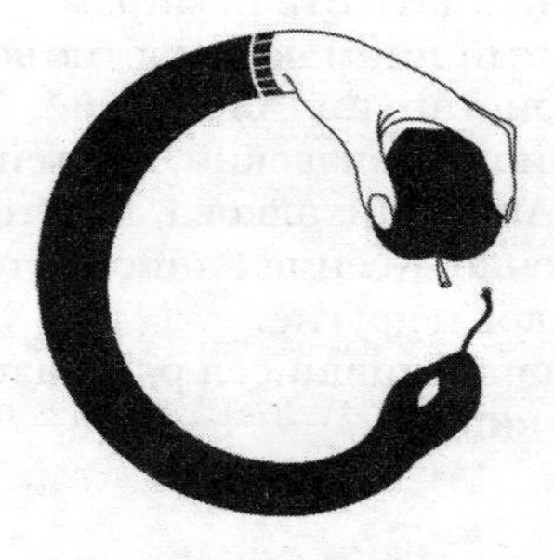

Москва
Издательство АСТ

УДК 821.161.1
ББК 84(2Рос=Рус)6
Б53

Серия «ОДОБРЕНО РУНЕТОМ»

Дизайн обложки: *Анна Ксенз*

Б53 БеспринцЫпные чтения. От «А» до «Ч» / Сборник.— Москва: Издательство АСТ, 2019.— 252, [1] с.— (ОДОБРЕНО РУНЕТОМ).

ISBN 978-5-17-112908-8

«БеспринцЫпные чтения» — один из самых ярких и необычных литературно-театральных проектов последнего времени. За два года его существования состоялось более ста чтений. Рассказы знаменитых авторов: Александра Цыпкина, Наринэ Абгарян, Андрея Аствацатурова, Саши Филипенко и других — звучали со сцен двенадцати стран мира!

В проекте принимают участие ведущие российские актеры: Константин Хабенский, Ингеборга Дапкунайте, Данила Козловский, Сергей Гармаш, Евгений Стычкин, Анна Михалкова, Виктория Исакова, Николай Фоменко, Ксения Раппопорт, Катерина Шпица, Павел Табаков и другие.

Самые запомнившиеся рассказы этого года собраны в одной книге.

АБГАРЯН НАРИНЭ

В прочитанных мною со сцены рассказах Наринэ Абгарян есть нежность, доброта, остроумие и какая-то ностальгия по детству. Вместе с тем их нельзя назвать сопливыми, потому что мысль, которую она проводит через свои произведения,— серьезная и даже драматическая.

Ингеборга Дапкунайте, советская, британская и литовская актриса театра и кино, телеведущая

БЕРД

ЯНВАРЬ

Из всех времен года мы, дети, замечали только зиму. Может, потому, что она была не столь долгой, как хотелось. И не такой снежной, как на перевале, отделяющем нас от остального мира,— как завалит выше гор, так и не отпустит из плена до весны.

Зима приходила в январе. Долго кружила морозным ветром над истомленными ожиданием домами, а потом, за одну враз притихшую ночь накрывала их рыхлой пеленой. Проснулся с утра — а за окном словно стертый резинкой мир. Только там и сям, уцелевшими карандашными набросками, виднеются кусочек деревянного забора или сбившаяся после проехавшей телеги одинокая дорожная колея.

Наигравшись вдоволь в снегу, заваливались шумной гурьбой к нани. Стягивали зубами заиндевевшие рукавички, скидывали боты, сваливали пальто и шапки на топчан в коридоре и бежали, громко топая по полу,— до сих пор помню обиженный скрип досок — на кухню. Нани нас ждала там. Нальет густой фасолевой похлебки, посыплет сверху свиными шкварками, нарежет соленой красной капусты, натрет засушенные на печи ломти домашнего хлеба зубчиком чеснока... М-м-м, не знаю ничего вкусней незамысловатой деревенской еды.

После сытного обеда она усаживала нас вокруг себя и рассказывала притчу о семикрылых ангелах. У которых каждое крыло одного цвета радуги, а каждое перо разит семерых темных дэвов. Дэвы выходят ночью из-за края земли, чтобы воровать души спящих людей, а ангелы разят их своими перьями, словно стрелами.

— Так что пока вы спите, добро и зло воюют за вас,— заканчивала свой рассказ нани.

— А что они делают днем, когда мы не спим? — неизменно спрашивал кто-то из детей.

— Ангелы отращивают себе новые крылья, а дэвы — новые клыки.

Мы слушали, затаив дыхание. Младшая сестра, не выдержав напряжения, начинала икать. Мы на нее, бедную, шикали, она зажимала рот ладошкой.

Однажды, когда нани по нашей просьбе снова завела свой рассказ, на кухню заглянул дядя Жора, который как раз в том году поступил в политехнический институт. Услышав о семикрылых ангелах, он стал выспрашивать, как же они летают.

— Как птицы,— с достоинством отвечала нани.

— Семь на два не делится, верно? — не унимался дядя.

— Верно.

— Значит, получается три крыла за одним плечом, а три за другим. Где же тогда седьмое крыло находится?

Нани растерялась. А мы расстроились — миф об ангелах рушился на глазах. Младшая сестра аж икать перестала, запереливалась глазами. Тут в комнату влетел дед и отвесил дяде Жоре могучий подзатыльник.

— А седьмое крыло запасное, ясно? На ремне болтается. Еще вопросы есть?

Вопросов у дяди Жоры больше не нашлось.

ФЕВРАЛЬ

— Я тебе вчера восемь раз звонила. А ты мне так и не ответила,— обижается мама.

— Как звонила? Телефон молчал.

— Я тебе в скайпе звонила!

— Мам, я хоть в сети была?

— А я знаю?

У мамы макияж, серьги, платочек на шее, прическа. Я со вздохом распускаю хвостик волос, приглаживаю брови. Прячу руки, чтобы она не заметила отсутствия маникюра.

— Ты ж моя красавица,— говорит мама.

Я киваю. Красавица, да. Кто скажет, что не красавица, тот ей враг номер один. А я же не сумасшедшая с родной матерью отношения портить!

— Наринэ, я тут вычитала отличный рецепт для маски. Записывай. Натереть на мелкой терке сорок граммов хрена, добавить две чайные ложки молотого имбиря, залить кипятком... Записываешь?

— Угум!

— Врешь?

— Нет.

— А то я не вижу, что врешь. Записывай давай.

Приходится записывать, а потом еще и зачитывать вслух. Не дай бог что-то пропустила.

— Мы вам маленькую посылочку собрали,— как бы вскользь упоминает мама.

— Снова? — ужасаюсь я.— Мы новогоднюю посылочку еще не съели.

— Габардиненц Ерванд собирается в Москву. Не ехать же человеку порожняком!

— Пусть едет порожняком.

— Ничего не знаю. Будет через три дня. Я оставила адрес. Подвезет прямо к вашему дому.

— Найдет?

— Найдет. У него этот, как его? Аппарат для распознавания дороги. Жипирэсэ.

— Мумсик! — давлюсь от смеха я.

— Захрмар. А как правильно? Жиписэрэ?

— Джипиэс!

— Ну и что ты мне голову морочишь, когда я так и сказала? В общем, ждите. Скоро посылка будет.

— Мам, а кто такой этот Габардиненц Ерванд? И почему он Габардиненц? Его предок первым в Берде надел габардиновое пальто?

— Не знаю. Надо твоего отца спросить. Он Габардиненц род хорошо знает. Всю жизнь им зубы лечит.

Посылка прибывает тютелька в тютельку, через три дня. Я сразу распознаю микроавтобус Габардиненц Ерванда. Во-первых, по ржавой крыше и вспоротым бокам. Во-вторых, по небольшой толпе заинтригованных горожан, которые, плюнув на столичный апломб, обступили доисторическую махину со всех сторон. Ну а в-третьих — по растопыренным колесам и погнутым в обратную сторону рессорам.

Даже с моего семнадцатого этажа было видно, что микроавтобус загружен под завязку.

Габардиненц Ерванд оказывается отчаянно усатым услужливым мужичком.

— Дочка, я твоего отца очень уважаю, поэтому первым делом к тебе заехал,— выволакивает он из микроавтобуса огромный баул,— показывай дорогу, куда нести?

В квартиру Габардиненц Ерванд заходит с почтением, цокает восхищенно на сундук из состаренного дерева, трогает батареи отопления — не мерзнете? Нет? Молодцы! — Шарит взглядом по стенам. Углядев на стеллаже открытку с изображением Арарата, успокаивается. Отобедать отказывается и, выпив чашечку кофе, начинает прощаться.

— Пора. Мне еще в Новокосино ехать. А потом — в Мытищи. Посылки развозить.

— Спасибо вам большое.

— Зачем спасибо? Не ехать же порожняком. Вот и повез гостинцы. И вам хорошо, и мне приятно.

Я провожаю бердского гонца до лифта, возвращаюсь в квартиру. Разворачиваю любовно упакованные гостинцы. Пять килограммов меда, мешок чищеных орехов, две бутыли кизиловки. Ну и по мелочи: домашняя ветчина (целый окорок), бастурма, суджух. Три кило лаваша из отборной муки. Зрелая домашняя брынза. Пакетики с сушеной зеленью.

До весны можно в магазин не ходить.

МАРТ

Своих я вычисляю за секунду каким-то звериным чутьем.

Отнесла сапоги в мастерскую.

Оформляет заказ мужчина, полный, голубоглазый, русоволосый. По виду — обычный житель средней полосы России. Но я-то вижу, что наш. Притом совсем земляк, бердский или, может быть, карабахский.

— Здравствуйте,— говорю,— мне бы набойки поменять.

Зимой какие-то безголовые балбесы нарисовали на двери этой мастерской свастику. Сапожник аккуратно обвел ее краской, превратил лопасти в лепестки. Получился кривенький четырехлапый листик клевера. Символ счастья.

Он берет сапоги, рассматривает каблуки, недовольно хмурится. Даю руку на отсечение, думает: «Сразу видно — не армяне делали. Если бы армяне, фиг бы набойки так быстро отвалились». О, это великое самомнение маленьких народов!

— С вас триста рублей,— начинает заполнять квитанцию,— фамилия?

— Абгарян,— говорю я, пряча улыбку.

Он вскидывает глаза:

— Из Армении?

— Да. А вы?

— Тоже.

— Откуда?

— Из Берда.

— Я так и знала! Я сразу поняла, что вы мой земляк.

— Вы чья дочка? (Никогда не спросят имени. Всегда — чья дочка. Или — из какого рода.)

— Доктора Абгаряна.

— О, а я из рода Меликян. Знаю, ваша бабушка тоже была Меликян. С вас семьдесят рублей. Только за материал возьму, за работу не буду.

— Мне неудобно. Давайте я заплачу, как все.

— Обижаете, сестра. Или не приходите больше к нам, или платите, сколько говорю.

Торговалась с пеной у рта. Заплатила сто двадцать рублей.

Недавно иду из магазина, он высовывается по пояс в окно.

— Подождите. Вы Наринэ Абгарян?

— Да.

— Сейчас! — выскакивает из мастерской, бежит, размахивая книгой.

— Подпишите, пожалуйста, дочкам. Я уже неделю вас караулю, по фотографии на обложке вычислил, что это вы.

— Как дочек зовут?

— Дарья и Маринэ.

— Вразнобой назвали?

— Ага, жена русская. Честно поделили.

— А если мальчик?

— Если мальчик, назовем обтекаемо.

— Как это «обтекаемо»?

— Максим. Чтобы и нашим и вашим.

Посмеялись.

Я делаю зарубку на памяти — Степан Меликян, сын Амирама Меликяна, сапожник. Потяни за ниточку — и воспоминания превратятся в ленту Мебиуса — как бы далеко ни уходил, возвращаешься в отправную точку. Каменный дом с потемневшей от времени деревянной верандой, большой яблоневый сад, обязательное тутовое дерево во дворе — в июне Амирам будет стряхивать спелые, сладкие плоды, легонько колотя дубинкой по веткам. А домашние будут ловить в большой тент стремительно темнеющие от медового сока ягоды.

Тент отзывается дробным стуком на звездопад плодов — пх-пх, пх-пх. Если спрятаться под ним, то кажется, что идет самый настоящий град. Маленький Степан подставляет спину падающим ягодам, ойкает. Выползает счастливый, щербетно-липучий, перемазанный с ног до головы тутовым соком.

Свежую ягоду пустят на варенье и сироп, а из перебродившей сделают самогон — тяжеленный, неподъемный. Выпил — и слава богу, что выжил. В Берде пьют такое, какое приезжим не переварить. Воистину, что нашему человеку хорошо, то остальным — смерть. На том и держимся.

С громким стуком захлопывается дверь мастерской — Степан ушел принимать очередной заказ. Я стою, ошеломленная, посреди Москвы. В воздухе кружит мартовский снег. Если поймать его на кончик языка, он отдает горным родником. И совсем немного — подснежниками.

АПРЕЛЬ

— Молодежь теперь умная, сло́ва ей поперек не скажешь!

Старенькая Ясаман стряхивает с фартука невидимые крошки, одергивает рукав темного платья. Затягивает тяжелым узлом на затылке косынку, концы перекидывает на грудь. Садится на край скрипучей тахты, складывает руки на коленях, скорбно качает головой.

— Я Мишику так и сказала — раз хочешь, женись. Я же не могу ему запретить. А она мало того что не армянка, так еще в городе родилась, наших порядков не знает, приготовить-подать не умеет. Стирку развесила шиворот-навыворот — пришлось бегом перевешивать, чтобы перед соседями не позориться.

Ясаман тяжело поднимается, достает из ящичка комода мятый бумажный кулек, отсыпает несколько крупинок ладана в специальную чашу, чиркает спичкой. Комнату затягивает сладковатым дымом церковной смолы.

— Крестится по-другому. Мы же слева направо крестимся, от сердца. А они — справа налево. К сердцу. Ладно, пусть крестится, как привыкла. Но юбку-то можно человеческую надеть? Юбка такой длины, что когда нагибается — глаза отводишь, чтобы не увидеть, какого цвета на ней трусы. У нее что, придатки в подмышках находятся? Простудить не боится?

Просыпаются настенные часы. Ясаман умолкает, пережидает их старческое дребезжание. Часы, надрывно кашляя, пробивают семь. Затихают.

— С утра поднимается — и давай по деревне бегать, апрельскую слякоть развозить. Говорит — это кросс. Ай балам, какой кросс, коровы перестали от такого кросса доиться. Бегает, грудями трясет. Груди у нее такие — дай бог каждому. Сама худая, как щепка, а груди четвертого размера. Даже коровы переживают.

Ясаман жует губами, вздыхает.

— А главное — ни грамма уважения. Я, например, ее маму называю на «вы». Говорю — здравствуйте вам, Татиана Валдиславовна, как *ваше* дела, Татиана Валдиславовна, как *здаров*, Татиана Валдиславовна. А моя невестка меня никак не называет. Или же по имени называет. Я хочу стол накрыть — она мне говорит «Ясаман» и начинает накрывать стол. Я хочу полы помыть, она мне говорит — «Ясаман», забирает швабру и сама моет пол. Ни разу не скажет — мама-джан. Или хотя бы Ясаман Петросовна. Ясаман да Ясаман!

Пришлось пустить в дело все запасы красноречия, чтобы убедить, что невестка говорит не «Ясаман», а «я сама».

МАЙ

У меня есть заветная мечта — увидеть себя маленькой.

Например, пятилетней. Щекастой, карапузой, с выгоревшими на майском солнце волосами цвета соломы. В смешных сандаликах на босу ногу. Я любила разговаривать с гусеницами. Задавала им вопросы и терпеливо ждала ответов. Гусеницы сворачивались калачиком или уползали прочь. Молчали.

У нас была собака — маленькая, мохнатая, вреднючая, настоящая жучка. Звали ее Белкой. Этакий ртутный шарик — целый день носилась по двору, бесконечно выясняла отношения со своей тенью — старалась ее перескакать. В саду нани Тамар росли большие подсолнухи. Нани Тамар обвязывала их газетой, чтобы вездесущие воробьи не выклевали семечки. Но воробьи так просто не сдавались, они обрывали по краю бумагу и воровали семечки. Белка была заслуженным пугалом сада нани Тамар — строго инспектировала каждый подсолнух и, если засекала в пределах видимости хоть один вражеский чик-чирик, тут же летела, развеваясь кудряшками, к непрошеному гостю. Густо облаивала его до седьмого колена. Спасала урожай.

Обожала топинамбур. В сезон топинамбура превращалась в крота — шуровала по кустам, выкапывала сочные клубни и моментально съедала, чавкая и закатывая глаза. За кусочек чурчхелы готова была душу продать.

Однажды к нам в гости заглянул дядя Жора. В тот день он был особенно неотразим — большие бакенбарды, облегающая сорочка с сокрушительным взмахом ворота, брюки-клеш. Штанины при ходьбе развивали такую мощную амплитуду, что периодически, цепляясь друг за друга, обматывались вокруг ног плотным коконом. Белка эти брюки сразу невзлюбила, видимо, приняла их беспардонное трепыхание на свой счет. Сидела, нахохлившись, за тутовым деревом, вздрагивала мохнатыми ушами. Периодически убегала в сад — облаивать банды воробьев. Заодно, пробегая мимо, облаивала брюки. Как назло, тот вечер выдался ветреным, штаны на двоюродном дяде развевались так, что, казалось, еще чуть-чуть — и он улетит, подхваченный порывом. В очередной раз, когда Белка пробегала мимо, штанины вспорхнули огромными крыльями летучей мыши, затрепетали-заполоскались. Тут у Белки терпение лопнуло, она вцепилась зубами в брюки и не отцеплялась до тех пор, пока не изорвала их в лапшу. Рвала сладострастно, с упоением, аж подвывая от удовольствия.

Дядя от сменных брюк отказался, уходил домой дворами, развеваясь на ветру бахромой. Белку мы отругали и даже надавали газетой по ушам. Собака имела фальшиво виноватый вид, перемещалась по двору, как диверсант в тылу врага — по-пластунски, вороватo двигая мелкими лопатками. Оживлялась только при виде очередной стаи воробьев. Но и их гоняла аккуратно, косилась одним глазом на нас — сердимся, не сердимся? Поймав чью-то опрометчивую улыбку, летела что есть мочи, захлебываясь в счастливом лае. Мы спохватывались, делали грозные лица. Белка тут же сникала, закатывала уши обратно и, мелко виляя хвостом, уползала прочь.

Я помню себя пятилетней, бегущей за нашей собачкой. Мы мчались навылет через дворы — один, второй, третий, перепрыгивая через старые, перекошенные деревянные заборы, колючий низкорослый малинник, пышные кусты зацветшего просвирняка, цепляли липучие семянки лопуха. Вверх, вверх по пыльной жаркой дороге, туда, где, загибаясь острым углом, она резко уходила по склону вниз — к большому винограднику, к пенной речке, к развалинам каменной крепости…

Ловили грудью воздух, ладонями — солнце, наполнялись-наливались до краев, до кончиков, до самых до краинок — счастьем.

У меня есть заветная мечта — увидеть себя маленькой. Например, пятилетней. Щекастой, веснушчатой, с выгоревшими на южном солнце волосами цвета соломы. На берегу реки. С Белкой, путающейся под ногами.

Обнять, прижать к груди. Смолчать.

Мне этого так хочется, что я иногда верю — так и будет.

ИЮНЬ

Когда совсем-совсем не хотелось есть, а было надо, папа придумывал сказки. Нет, сначала он готовил, обязательно что-нибудь простое. Отварит картошку, польет растопленным сливочным маслом, посолит крупной солью, посыплет кольцами злого лука. Возьмет овечьей брынзы, краюху домашнего хлеба, несколько помидор — мясистых, сладких. И ведет нас за плечо холма.

На самой макушке, повернувшись боком к солнцу, стоял наш крохотный летний домик — деревянный, скрипучий, с большой, накрытой полосатым паласом тахтой и жестяной печкой. Печка пахла теплом и дымом, а еще — моросящим июньским дождем, видно, потому, что топили мы ее, когда за окном лил дождь.

Папа выставлял на поднос еду и вел нас, словно заправский Моисей, к вековому буку, который торчал, одинокий и нелепый, на плече нашего холма.

— Старшая садится справа, средняя — слева,— распоряжался он.

— А я? — волновалась двухлетняя Гаянэ.

— А ты садишься напротив и внимательно слушаешь.

Он нарезал помидоры и сыр, отрывал от краюхи кусочек горбушки, макал в масло, отправлял себе в рот, закрывал глаза.

— М-м-м. Как вкусно.

— Ну? — поторапливали мы.

— Так вот. Знаете, как я отварил эту картошку?

— Знаем. В воде.

— Ничего вы не знаете. Сначала я сходил на речку. Сегодня там было столько рыбы, что не протолкнуться. Она не разрешала воды набрать, говорила — самим не хватает. Но я объяснил, что это не мне, а детям. Раз детям, тогда ладно, ответили рыбы.

Папа брал кружок картошки с колечком лука, ел с брынзой, причмокивая.

— Господи, как же вкусно! — говорил куда-то вверх. Мы запрокидывали головы. Наверху были облака, солнце, ветер. И больше, наверное, ничего. Но папа смотрел так, словно кого-то там видел.

Мы нерешительно переглядывались. Тянулись за хлебом и сыром. Папа делал вид, что не замечает этого. Продолжал рассказ с прерванного места.

— Потом я затопил печку. Поставил вариться картошку. А сам знаете куда пошел?

— Куда?

— Собирать желтые лютики. Целый букет собрал. А потом оборвал лепестки и заправил ими картошку. Думаете, это масло? Ничего подобного. В горах готовят не на масле, а на цветах. Ясно?

— Ясно,— отзывались мы с набитыми ртами.

Картошка на лютиковых лепестках была невообразимо, бесконечно вкусной. Пока мы ее доедали, папа сидел рядом и рассматривал ущелье.

На ужин он крошил в мацун горбушку, посыпал сахарным песком, размешивал ложкой, рассказывал, что положил не сахар, а клевер — вы ведь знаете, какие у него сладкие соцветия, правда? Нет? Сейчас узнаете.

А еще он учил нас стрелять растениями. Обернет стебель вокруг мохнатого соцветия змеевика, дернет резко — и головка цветка летит стрелой. Это чтобы от волков защищаться, если они обступят нас со всех сторон.

Или же показывал, как плести ожерелья из хвоинок — прошелся зубами по хвостику, чтобы тот стал податливым, воткнул туда иголку — получилось звено. Поддел его второй хвоинкой, сомкнул в круг... Ожерелья пахли смолой и дождем. Видно, потому, что плели мы их в дождь, когда нечем было больше заняться.

А еще папа учил нас играть пестрой овсяницей в угадайку. Спрашиваешь — петух или курочка? Потом плотно обхватываешь пальцами колосья и одним махом обрываешь. Если из пучка торчит «перышко» — это петушок. Если пучок кругленький, значит, это курочка. Угадавшему полагается один засахаренный орешек. Проигравшему — два. В утешение.

Недавно составляла список, чему еще не успела научить своего сына.

Первым пунктом значится воинственное «показать, как стреляют соцветиями змеевика».

ИЮЛЬ

Тата говорила — ближе всех к небесам старики и дети. Старики потому, что им скоро уходить, а дети потому, что недавно пришли. Первые уже догадываются, а вторые еще не забыли, как они пахнут, небеса.

Я была маленькая и глупенькая. Слушала вполуха, вертелась. Мне казалось — ну чего тут сложного? Небеса пахнут воздухом. Иногда теплым, иногда колючим. Или дождем, когда идет дождь. Или снегом. И вообще, вoooон они, совсем рядом, встал на цыпочки — и прикоснулся. Когда живешь на краю синего ущелья, это ведь совсем не сложно — дотянуться до небес.

Тата говорила: «вот мой младший брат, например...» И умолкала. Я сидела рядом, теребила край рукава. Ждала, когда продолжит, но она молчала. Может, видела наперед и не хотела меня расстраивать. А может, это было все, что она считала нужным мне рассказать. Вот мой младший брат, например... Остальное — тишина.

Таты давно уже нет, и я теперь договариваю за нее — вот твой младший брат, например. Несчастный старик, отрекшийся от всех, даже от собственных детей. Сумасшедший гений, запертый навсегда в себе... Договариваю-дописываю то, что она не захотела мне открыть.

Иногда я ходила за ней хвостиком. Куда она — туда и я. Молча ходила, шаг в шаг. Тата делала вид, что не замечает меня, занималась своими делами. Только рассуждала вслух. Вот, говорила, молодая невестка Ясаман, например. Вывесила белье так, что сразу видно — девочка не из наших краев. Надо ведь по ранжиру, по типу, по цвету. Тут маленькое, там большое. Темное ближе к веранде, светлое — подальше.

Мы стояли, одинаково прикрыв от июльского солнца ладонью глаза, и наблюдали, как полощется на ветру бестолково развешенное невесткой Ясаман белье.

Большой пират и маленький. Она и я.

Тата любила молча. Прижмет к груди — и сразу отпускает. Целует бережно, в макушку. Называет полным именем, не сюсюкает. Смотрит в глаза. Лишь однажды отвела взгляд. Когда я спросила, выздоровеет ли она. Не захотела обманывать.

Потом, спустя много лет, она мне приснилась. Глядела исподлобья, не улыбалась. Я понимала ее, не плакала, не просила прощения. Потянулась обнимать, но она сделала запрещающий жест рукой —

нельзя, не сейчас. С того сна я пытаюсь простить себе ошибку, которую совершила много лет назад. Не рассказываю никому, даже сыну, молчу.

Сыночек, вот моя жизнь, например... Остальное тишина. Догадаешься — расскажешь потом за меня.

Я давно не маленькая и, наверное, уже не глупая. Не знаю, сколько мне отпущено дней и наступит ли когда-нибудь завтра.

Но в одном я уверена совершенно точно — небеса пахнут так, как пахли руки моей Таты. Свежевыпеченным хлебом, сушеными яблоками и чабрецом.

АВГУСТ

Август наступает раньше, чем ты ожидал. Раньше, чем готов был осознать, что кажущееся вечным лето — на исходе. На излете.

Дни стоят жаркие и душные, под камнями спят рыбы, а мох на речных валунах выгорает так, что если растереть в ладонях — остается горстка пыли.

Полдень приближает стрекот цикад, полночь — пение сверчков. Так и живешь — от цикад до сверчков. Умолкнут они — наступит осень, отправит вперед себя вереницы туч, на восток, на восток, навстречу солнцу. Ждать его не дождаться. До весны.

Потолок веранды обвешан сосульками обсыхающей чурчхелы.

— Виу-виу,— плачет Белка.

— Захрмар! — выговаривает ей Тата.— Позорище, а не собака.

Белка прячет нос в лапы. Левое ухо стоит торчком — перебинтовали. Летела не глядя, вписалась головой в перила, застряла. Еле вытащили. Ухо порвала, глупенькая, теперь всем жалуется.

— А глаза твои где были? — спрашивает Тата.

Белка пристыженно косится на потолок веранды.

— Горе горькое,— вздыхает Тата, отрывает кусочек чурчхелы и кормит ее с ладони.

Август, время замедлило ход и изменило суть вещей. Если встать по левую сторону растущей вкривь лавровишни и посмотреть вверх, кажется, что ковш Большой Медведицы цепляет хвостом трубу соседского дома. Кто кого перевесит, дом или звезды? Дом вот он, совсем рядом, пахнет камнем, хлебом и людскими руками. А что там со звездами в их далекой небесной дали — бог его знает! Или не знает?

У Заназан умерла свекровь. Гроб повезли на старенькой телеге, вниз по рыжей деревенской дороге.

— Цо-цо,— поторапливал ослика погонщик. Ослик переступал истертыми копытцами и плакал невидимыми слезами.

Положили рядом с сыном и мертворожденным внуком. Заназан смотрела, не отводя глаз. Ветер трепал на плече медную косу. Бедная, бедная Заназан, теперь она осталась совсем одна. В этом городе все сошли с ума от войны, но никто об этом не догадывается. Знает только Заназан. Знает, потому молчит.

Август, небо ниже гор, пчелы ленивы и неторопливы, ночи нестерпимо тихи, а под утро выпадает столько росы, что хоть горстью черпай.

— Спина лета сломалась,— говорит Тата.

Прощай, лето. Прощай.

СЕНТЯБРЬ

Первой пациенткой, которой папа сделал вставную челюсть, была девяностолетняя подруга его прабабушки Шаракан.

— Зачем идти к другим специалистам, когда наш Юрик — врач? — выдвинула непотопляемый аргумент Шаракан и привела свою подругу к правнуку, который буквально на той неделе приступил к работе в поликлинике.

Папа ужасно разволновался. Еще бы, первая в жизни вставная челюсть, практически боевое крещение. Кое-как взяв себя в руки, он смешал гипс и нечаянно забил им горло пациентки. Испугавшись, что та задохнется, кинулся рьяно его выковыривать. Шаракан смекнула, что правнук напортачил, оттеснила его плечом и лучезарно улыбнулась подруге.

— Все в порядке, Вардануш, все хорошо.

Вардануш скорбно замычала в ответ.

— Юрик-джан,— обратилась с укором к правнуку Шаракан.— Из цемента, который ты потратил на нее, можно было двухэтажный дом построить. С пристройкой для скота. Как можно быть таким расточительным?

— Немного промахнулся в расчетах,— виновато пробурчал папа.

Шаракан сжалилась над ним.

— Ничего, все у тебя получится. Ты, главное, экономить научись.

И, встав на цыпочки, погладила его по плечу.

Настал день примерки. Старушки пришли в поликлинику нарядные, в светленьких косынках и шелковых фартуках. Прабабушка усадила подругу в кресло, встала рядом и кивнула правнуку — начинай.

Папа велел Вардануш открыть рот, надел ей протезы и похолодел — зубы получились раза в три больше человеческих. Вардануш смотрелась в них, как клыкастая акула империализма со страницы сатирического журнала «Крокодил».

— Закрой рот,— велела ей прабабушка.

Вардануш беспомощно клацнула зубами. О том, чтобы закрыть рот, не могло быть и речи. Губы пациентки едва прикрывали края искусственных десен.

— Вардануш-джан, великолепные зубы, просто великолепные! — зазвенела колокольчиком Шаракан и отошла от кресла на такое расстояние, чтобы подруга ее не видела.

— Юрик, ты зачем ей ослиные зубы сделал? — оглушительным шепотом спросила она.

Вардануш всхлипнула.

— Ничего не ослиные,— оскорбился папа.

— Конечно, не ослиные, осел бы от голода подох, будь у него такие зубы. Ими даже жевать невозможно!

Вардануш слезла с кресла, сковырнула пальцем протезы, поставила их на стол и прошамкала:

— Сынок, когда маленько подкоротишь, зови. А я пока домой пошла.

И направилась к выходу. Прабабушка со вздохом последовала за подругой. На пороге обернулась:

— Юрик-джан, ты, главное, экономить научись. Вот смотри: если распилить эти зубы вдоль пополам, получится два нормальных протеза. Ты распили, один отдадим ей, а второй я буду носить. Не выбрасывать же.

И ушла.

Папа потом, конечно же, сделал нормальную вставную челюсть. Но пока он бился над ней, Вардануш носила ту, клыкастую. Только рот платком на манер карабахских женщин повязывала. Чтоб народ не пугать и горло по вечерней сентябрьской прохладе не застудить.

ОКТЯБРЬ

В Берде время течет совсем не так, как в больших городах, здесь оно медленное и тягучее, словно забывшая о дождях августовская река. Я по-новому привыкаю ко всему, от чего успела отвыкнуть в городе: к громкому ходу механических часов, которые раз в полчаса бьют тяжелым кашляющим боем, к лаю дворовых собак и недовольному квохтанью домашней птицы, к вкусу кисловатого, на настоящей закваске, домашнего хлеба, к аккуратным рядам бережно прикрытых от влаги брезентом поленниц — вы помните, как пахнут колотые дрова? Вы знаете, что они пахнут?

В Берде жалко спать. В пять часов утра за окном непроглядная ночь, каменные молчаливые дома и осенние, не успевшие облететь деревья. Луна висит над Хали-каром неповоротливым мельничным жерновом, бесшумно падает первая роса, отдающая к рассвету травами и терпковатым мускатным виноградом — здесь он обвивает стремительной лозой даже фасады пятиэтажных домов, что уж говорить о частных домах с их деревянными верандами и стеклянными шушабандами, обвешанными гроздьями, словно рождественская ель — стеклянными шарами.

В центре городка торчит новая белая церковь — мы с сестрой отводим глаза, проходя мимо, у церкви гладкие высокие стены и основательный вид, она возвышается своими куполами над стареньким шиферными и черепичными крышами, над корявыми трубами дровяных печей, над вековыми орешинами и тутовником, над миром. Неужели в приграничном безработном городке, где есть старенькая, но вполне пригожая часовня двенадцатого века, новая церковь была такой уж неотложной необходимостью? Неужели мало было других забот? Никогда не понимала этого и не пойму, потому иду мимо, отводя глаза. Бог не там, где ему назначат быть люди. Бог везде.

Прошлись по дороге, ведущей в школу. Вниз, к большому мосту, а потом вверх — на пригорок. Сестра смешно рассказывала, как однажды возвращалась после уроков домой, скучный день не сулил ничего непредсказуемого, она плелась по дороге, тащила тяжеленный портфель, вертела шеей, рассматривала унылый октябрьский пейзаж. Вдруг сверху вырулил велосипед — она успела разглядеть десятилетнего сына нашей соседки тети Сильвы, который очень уверенно, не делая попыток притормозить, скатился на большой скорости с пригорка, врезался в перила моста и с невероятным самообладанием и достоинством, не теряя невозмутимого выражения лица, описав в воздухе красивую дугу, полетел вниз. Сестра от испуга выронила портфель. Подойти к краю моста побоялась, но прислушалась. Ничего, кроме шума реки, не различив, побежала за тетей Сильвой. Тетя Сильва развешивала простирнутое белье. При виде всполошенной соседской дочери лишних вопросов задавать не стала и, как была, в домашнем халате и с алюминиевыми бигуди в волосах, побежала спасать сына. А под мостом, среди поломанного кустарника и прочей сильно пострадавшей ботанической рухляди, сидел бедокур и егоза Араик и, стараясь не двигать сломанной ногой, молча и остервенело чинил велосипед.

Город меняется, он уже не мой, он никогда и не был моим, но не говорите мне об этом, я не хочу этого знать. Мы бродим с сестрой по старым улочкам, выискиваем привычные с детства ракурсы, а на самом деле, наверное, ищем себя — за перилами моста, на крыше обвалившейся печи, в тени огромного клена — мы выросли, а он так и остался большим, ты замечала, как красиво стареют клены, спрашиваю я, и сестра кивает — знаю.

В мире много красоты — высокие водопады, золотистые песчаные дюны, зазубрины синих хребтов, бескрайние лавандовые поля. И вся эта красота — не моя. Моя красота за кривыми частоколами, за низенькими каменными порогами, за скрипучими деревянными полами, за чадящими керосиновыми лампами, за глиняными карасами, в узком горлышке медного кувшина моей нани. Моя красота там, где меня уже нет.

НОЯБРЬ

Месяц раздумий. Терновый месяц, пряный. Пахнущий гранатовым боком, грецким орехом и шершаво-терпкой, стремительно темнеющей на срезе айвой.

Тата макает ореховое ядрышко в мед, подставляет ладонь ковшиком — чтобы не капнуло на скатерть, и протягивает мне — ешь.

Я ем.

— Слышала журавлиные крики? — У Таты золотистые глаза и длинные ресницы. На виске, чуть выше брови, бьется одинокая жилка.

— Слышала,— бубню я.

Она делает вид, что верит мне.

— Знаешь, что они кричали?

— Нет.

— Мы вернемся.

Тата отрывает от круга домашнего хлеба горбушку, выковыривает мякоть, откладывает в сторону — курам. Заталкивает вместо мякоти ореховые половинки и протягивает мне.

— Ешь.

Я ем.

— Тат, ты понимаешь журавлиный язык?

— Нет.

— Тогда откуда ты знаешь, что они кричат?

— Мне бабушка сказала.

— И ты ей поверила?

Тата смотрит в меня своими ореховыми глазами.

— Да.

Ноябрь.

Туманы стали гуще и непроглядней, уходят долго, нехотя, цепляясь тюлевыми подолами за деревянные заборы. Слышен дальний зов реки — холодная, пенная, она бежит, задыхаясь, вперед себя, рассказывает каждому, что на горный перевал надвигаются снега, она видела, она знает.

— Хочешь вина? — Дядя Жора протягивает глиняную чашку.

— Разве мне можно?

— Это трехдневное вино, совсем молодое. Когда забродит — будет нельзя. А пока можно. Пей.

Я пью.

Вино сладко щекочет нос. Я причмокиваю губами.

— Вкусно. Похоже на лимонад.

— Вкусно, да.

Дядя Жора немного сумасшедший. Папа говорит, что он математический гений. Однажды его мозг не выдержал напряжения и сошел с ума. Ноябрями дяде Жоре становится совсем тяжко. Он уходит в леса, питается желудями, шиповником и неспелыми плодами мушмулы. Смотрит часами в небо, шевелит беззвучно губами, словно разговаривает с кем-то. Выводит сухой веточкой на влажной земле странные математические формулы. А потом стирает их и плачет.

На излете осени дядя Жора часто плачет. Впереди зима, он ее чувствует.

Он видел, он знает.

Вечер пахнет густым мычанием коров, ржавым затвором калитки и дровяной печкой. Нани разрезает картофель на тонкие дольки, раскладывает на раскаленной печке, посыпает крупной солью. Картофельные ломтики схватываются румяной корочкой, скворчат. Нани поддевает их краем ножа, переворачивает на другой бок.

Я цепляю кочергой задвижку, распахиваю дверцу, ворошу поленья. Печка гудит, довольная, дышит жаром.

— Цлик Амрам не ждал такого предательства. Виданное ли дело, чтобы любимая жена изменила тебе с царем, которому ты преданно служил всю жизнь! Он запер ее в крепости и поднял против него восстание. А когда потерпел поражение — подарил все свое княжество грузинскому царю. Чтобы оно не досталось царю армянскому.

— И что было потом?

— А что было потом. Княгиня повесилась в крепости — не вынесла позора. Грузинский царь вернул имения Цлика Амрама армянскому царю, ведь они с армянским царем были троюродными братьями, оба из рода Багратуни. А Цлик Амрам остался ни с чем — без жены, без княжества, без былого величия.

Нани вздыхает, качает головой.

На краю холма раскинулась старая крепость. Вернувшийся к вечеру туман окутывает ее развалины непроницаемой пеленой. Где-то там, в этих затопленных туманом развалинах, до сих пор бродит призрак княгини Аспрам.

— А что стало с Цликом Амрамом?

— Не знаю. Наверное, умер с горя. Да и кто сможет такое пережить?

Нани перекладывает готовый ципул в толстодонную тарелку, обмазывает каждый картофельный ломтик сливочным маслом, сверху выкладывает кусочек брынзы. Дует на ципул, чтобы он быстрее остыл. Протягивает мне.

— Ешь.

Я ем.

ДЕКАБРЬ

На перевал зима наступает разом, нахрапом, не предупреждая и не щадя, выключая звуки и стирая цвета. Словно не было вчерашнего ноября с его голубовато-пыльными ягодами терна, с перезрелым шиповником — шкурка треснула, обнажив ватную мякоть и острые косточки, с запахом забродившего вина — сейчас оно колючее, сладко-шипучее, а к середине декабря нальется вкусом, заматереет, подернется терпкостью и кислинкой, будет переливаться в бокале обманчивой легкостью. Кто пил, тот знает цену этой легкости — перебрал хоть немного — и спишь беспробудным каменным сном до утра.

Когда на перевал приходит зима, у людей на какое-то время заканчиваются слова. Это благословенная и целительная немота — молчи, смотри в окно, привыкай к себе. Нет ничего такого, что бы укрыло и защитило от себя — ни суетливой осенней шелухи, ни летних скоротечных дождей, ни весеннего щебета птиц. Ты и ты.

Там, за ледяными плечами перевала — поморы-великане, их уже мало, но они есть — суровые, неприступные люди-камни. Каждый — частичка твоего сердца, каждый — толика твоей души. Пройдет не одна лавина, пока снова откроется тропа, ведущая туда. А пока — так. Без связи извне, в снежном мóроке, в оглушительной, всесильной, мерцающей тишине.

Когда на перевал приходит зима, она первым делом достает игрушки из рукава. Вденет суровую нитку, повесит на еловую ветку, зажжет огни. Любуйся и наматывай на палец дни: Анна Темная — в час битвы страшных сил с Божиим светом, настороженно-молчаливые Емельяны Перезимники, крик рожениц в Бабьи каши, ряженые многоликие Колядки, гоняющий ведьм Афанасий Ломонос, сшибающий рог Зимы Онисим-овчар, Фарисеева седмица, неделя Страшного суда...

Набрал полную грудь воздуха, нырнул, словно рухнул, в страну трехглавых змиев и жар-птиц, болотников и болотниц, серых волков и премудрых девиц. Хватило бы дыхания выплыть.

А дальше сам, сам. По робкой наледи, на спине сом-рыбы, по блеклому следу одинокой звезды — туда, где зима плетет свои кружева. Где, свернувшись калачиком, спит детвора. Где армянская бабушка поет «Оровел», а русская заговаривает сны на воде и молится на пустую нишу в стене. Запомнить все, что расскажут твои мертвецы, потому что говорить они умеют только снежными ночами. Предки-поморы это точно знали, они их ждали, разводили огонь в печи, оставляли немного еды — на случай, если те голодны, и морошковой настойки — если захочется пить. Главное, не шуметь и не мельтешить. Закрой глаза, слушай. Молчи. Зима — время тех, кто ушел.

АСТВАЦАТУРОВ АНДРЕЙ

Для меня Аствацатуров точен в своих отсылках в наше общее прошлое и настоящее. С полуулыбкой. Без снобизма. Очень остроумно и самокритично. Философ с отличным чувством юмора, живущий этажом выше.

Дмитрий Чеботарев, актер театра и кино

НОЧНОЕ КУПАНИЕ

Среди петербургских гуманитариев Гриша Лугин считался грубияном и безобразником, и некоторые утверждали, что в этом качестве он скоро отнимет пальму первенства у самого Топорова.

Помню, Лугин рассказывал, как однажды поехал с любовницей купаться ночью, а в результате попал в вытрезвитель и был изгнан с академического олимпа. Дело было на шуваловских озерах. Стояла теплая чернильная ночь, рассказывал Лугин, матово светила луна, напоминая то ли светлый циферблат, то ли чью-то круглую светящуюся во тьме задницу. Короче назначились обстоятельства, вполне располагающие к карнавалу. Лугин и его подруга изрядно выпили и резвились в воде как поросята, бегали, прыгали, брызгались. Лугин хватал свою подругу за всякое, а она, как положено девушке из хорошей семьи, протестовала веселым громким визгом. Видимо, слишком громким, потому что вскорости к озеру подъехал милицейский бобик. Включенный свет фар поймал две фигуры, стоящие в воде по пояс. Одна со всей очевидностью принадлежала особе женского пола. Из бобика вылезли милиционеры. Сколько их было, Лугин не помнил. Старший — видимо он был старшим — приблизился к воде и крикнул:

— Он тебя что, насилует?!

— Да! — глупо закричала лугинская подруга.— Насилует! Помогите!

Милиционеры решили помочь. Лугину удалось, как он сам рассказывал, выскользнуть из-под света фар через какие-то камыши на берег, где его никто не ждал, и на какое-то время даже оторваться от своих преследователей. Он как был, без трусов, рванул по асфальтированной дороге в сторону жилья, но вскоре его стали настигать. В какой-то момент он услышал позади себя шум мотора и увидел надвигающийся свет фар.

— Мужчина, остановитесь! — приказывали ему через мегафон.— Повторяем, мужчина, остановитесь!

Но Лугин решил не останавливаться.

— Русские не сдаются! — кричал он в ответ и продолжал бежать из последних сил. Ему казалось, что его несут воздушные сандалии, как Персея или самого бога Гермеса.

— Ты че, Лугин, в лес не мог свернуть? — смеясь спрашивали его.

— Ну приплыли,— сочувственно вздыхал Лугин,— колобок закатился за лобок. У меня ж ноги были голые, а там иголки!

Милиционеры били его дубинками недолго, без энтузиазма, посмеиваясь.

В официальной бумаге, которую через две недели прислали на имя ректора, значилось следующее:

«23.05.1989, гр. Лугин Г. Я., студент ЛГУ, был задержан дежурным патрулем на пляже Шуваловского озера. Гр. Лугин Г. Я., находился в нетрезвом состоянии, не мог самостоятельно передвигаться и был доставлен в медвытрезвитель № 24».

— Это я-то не мог передвигаться?! — возмущался Лугин в кабинете декана.— Я?!

Декан, пожилой профессор, молча положил перед ним приказ об отчислении и сочувственно развел руками.

— Гоните, да?! — закричал Лугин.— Верного слугу гоните?! Как Белинского, да?! Как этого, значит... как Пушкина?!

Декан внимательно поглядел на него и, улыбнувшись, произнес:

— Пушкин в университетах не учился, Григорий Яковлевич. У него было только среднее специальное образование.

В результате Лугин уехал доучиваться в Эстонию. Там любили пострадавших из России.

ПРО ТО, КАК КЕНГУРУ «ЖИВЕТ С СЛОНОМ»

Недавно сосед Алексей Петренко заговорил со мной о моей бывшей жене Люсе, проживающей ныне в США в каком-то небольшом городке. Оказывается, они общаются. Она замужем, счастлива и по-прежнему пишет стихи и по воскресеньям поет в местном кафе русские романсы. В связи с ее поэтическими упражнениями я вспомнил одну историю десятилетней давности. Я забыл многие события нашей совместной жизни, но этот эпизод почему-то в моей памяти сохранился.

Тысяча девятьсот девяносто девятый год. Время мутное. Я только что закончил университет, женился на своей однокурснице, полноватой девушке Люсе, и моя жизнь начала стремительно набирать скорость.

Главное, не совсем было понятно, что делать. Я снова как в школе остался наедине с самим собой. Вокруг — опять люди в голом. Теперь уже голодные, жалкие, опасные дикари, вооруженные палками-копалками и дубинами. Но что-то нужно было делать. То ли торговать, то ли писать диссертацию. Денег катастрофически не хватало. Даже на еду. Впрочем, еды в магазинах было немного.

И вот мой приятель Андрей Степанов нашел себе и мне небольшой приработок. Издательство с загадочным названием «Тайны здоровья» решило публиковать популярные книжки и поручило ему (а значит, нам обоим — как мне Степанов сказал по телефону) переводить с английского знаменитую сагу о строгой волшебнице Мэри Поппинс. Гонорар обещали выплатить по окончании работы. Деньги — не безумно большие, но приятные.

Вот так удача.

Мы сели за перевод.

Степанов сразу назначил себя главным. Он был старше, и, следовательно, умнее. Помню, как он систематически отчитывал меня за низкое качество перевода, плохое знание английского и общее скудоумие. Каждый брал свою порцию глав и переводил у себя дома. В конце недели мы встречались и читали друг другу переведенное. Если надо поправляли друг друга. Причем, в основном, меня. Все шло по плану. Но в один прекрасный день, работая над очередной главой, я наткнулся в тексте на старое детское стихотворение, коим писательница решила разнообразить прозаическое повествование.

Я в панике позвонил Степанову.

— Степанов! — заявил я с ходу.— Тут у меня стихи в тексте. А я стихи переводить не умею!

— Что не умеешь? — переспросил он и тут же взорвался.— Меня не волнует! Твоя глава — ты и выкручивайся! Мне свое нужно переводить! Тебя и так все время исправлять приходится, так что сделай хоть раз что-нибудь сам!

В трубке послышались короткие гудки. Потом Степанов, похоже, слегка оттаял и перезвонил (он всегда меня считал слегка туповатым и делал на это скидку).— Ладно,— сказал он уже мягче,— не мучайся. Но хоть попытайся! Если ты так ничего не придумаешь, позвоним Ване Писаренко. Он все-таки поэт.

— Ваня Писаренко,— возразил я,— авангардист. Он может переводить разве что какого-нибудь Сен Жон Перса. А с детскими стихами не справится.

— Нальем — справится! — решительно заявил Степанов.— Но лучше бы ты сам все сделал.

— Ладно, попробую.

— Пока! Вечером встречаемся у меня, приноси перевод.

Я повесил трубку и вернулся к письменному столу, к стихотворению. Стихотворение рассказывает об истории Ноева ковчега. Детские простенькие слова: в ковчеге каждой твари было по паре, а кенгуру пары не нашлось, и ее поставили в пару со слоном. Вроде бы — все понятно. Не понятно только, как это изложить в стихах. «Может,— подумал я,— верлибром перевести?» Сидел где-то час, никаких мыслей так и не появилось. Наконец я сдался и позвал на помощь жену.

— Слушай, Люся. Ты ведь стихи пишешь. Переведи вот это. У меня не получается. Все равно заработанные деньги будут общими. А я, чтоб не терять время, буду дальше работать.

— Хорошо,— ответила Люся.— Переведу.

Я написал ей подстрочник. Она взяла его и отправилась на кухню рифмовать, а заодно и попить кофе. Через два часа я закончил работу и собрался идти к Степанову. Перед уходом заглянул на кухню к Люсе.

— Ну что, перевела?

— Перевела,— отвечает она как-то смущенно.— Только, знаешь... Нужно немножко в одном месте подправить.

— Ерунда! Степанов подправит.

Она протянула мне листок сложенный вчетверо.

— Спасибо,— ответил я. Сунул, не глядя, листок в папку, оделся и отправился к Степанову.

У него дома мы раскрыли листок, и я прочитал вслух следующее:

«В КОВЧЕГЕ ВСЕ ЖИВУТ ВДВОЁМ.
И ЭТО КАЖДЫЙ ЗНАЕТ.
А КЕНГУРУ ЖИВЕТ С СЛОНОМ!
ТАКОЕ ЗДЕСЬ БЫВАЕТ!»

Степанов удивленно приподнял брови и погрузился в молчание. Мне даже показалось, что прошла целая минута. Наконец я собрался с духом и сказал:

— Ну как тебе? По-моему неплохо... Только вот это «с слоном», по-моему, не вполне удачно? «Со слоном», понятное дело, правильнее, но зато в ритм не укладывается. Как думаешь, оставим все как есть ... или что?

А он взял у меня листок со стихотворением, потом протянул мне его обратно и мрачно сказал:

— Знаешь, ты этот перевод не выбрасывай! Мы его потом в какой-нибудь авангардистский журнал отошлем.

Стихотворение спустя две недели перевел Ваня Писаренко. Получилось, кстати, очень неплохо. Но даже теперь первый Люсин перевод мне нравится значительно больше. А этот новый я позабыл. Наверное, это потому, что я до сих пор еще люблю Люсю, а заносчивый авангардист Писаренко мне совершенно безразличен.

МУЖ МАШИ СИДОРОВОЙ

Три дня назад в переходе меня остановил худой небритый мужчина с хмурым лицом.

— Вы,— говорит,— Асва-та-ца-та...

— Да,— сухо перебил я,— что-то в этом роде.

И посмотрел «строго и со значением». Так обычно на людей смотрят заведующие кафедрами, особенно недавно назначенные. Мол «что вам, гражданин, угодно».

— О! — обрадовался мужчина.— А я — Кирилл, помните?

Нет, Кирилла я не помнил.

— Ну, Кирилл же,— подсказал он доброжелательно,— муж Маши Сидоровой.

Это его «муж Маши Сидоровой» нисколько не внесло ясности и даже немного вывело меня из себя.

С таким же успехом он мог сказать «я — муж Иры Петровой» или «Жени Ивановой».

Было шумно, мимо нас в обе стороны шли люди.

— А-а...— чтобы показаться вежливым, я всей физиономией изобразил узнавание и выдавил улыбку...— Здрасьте... А вы... это какими тут, как говорится, судьбами... живете здесь, да?

Муж Маши Сидоровой насупился и коротко кивнул. Живу, мол. Повисла пауза.

— Ладно,— произнес я, наконец, и, чтобы выглядеть любезным, а главное поскорее закончить разговор, добавил: — Маше большой привет.

Муж Маши Сидоровой взглянул на меня, будто не понимая, и вдруг лицо его сделалось бешеным.

— Маше?! — закричал он.— Маше привет?! Какой еще «привет»?! Мы с ней развелись пять лет назад! Она мне изменила!

Я сочувственно покачал головой и поспешил откланяться.

— Привет... привет еще ей, стерве, передавать! Не на того напал... — слышал я за спиной.

Оказался, как видите, виноват.

А ведь всего-навсего хотел показаться вежливым.

БОРОВСКИЙ АЛЕКСАНДР

Александр Боровский фиксирует дух советского периода и дает тонкую, ироничную и в то же время теплую оценку всему тогда происходящему. При этом не хулиганит как Цыпкин, а последовательно и деликатно умиляется истории.

Юлия Хлынина, Российская актриса театра и кино

ВАН ЭЙК

Мне лет десять. Гурзуф, Дом творчества художников. Там был директор, крупный, ядреный, не старый еще человек, седовласый. Отличался, по контрасту с благородной внешностью, чрезвычайной угодливостью к художникам «в силах»: академикам, секретарям творческих союзов и пр. Встречал, провожал, подсаживался в столовой. Моим родителям он чрезвычайно не нравился: во-первых, пытался не пускать меня в номер — якобы детям нельзя. На самом деле детям начальников было можно. Меня же и других не номенклатурных детей втаскивали в окна первого этажа на простынях, поначалу и до того доходило. Потом утряслось. Но главное, директор раздражал именно этой искательностью, уже несколько старомодной по тем временам. Он перебарщивал, это и старшие товарищи понимали. Однако принимали с улыбочкой: чего же вы хотите — старая школа, отставной энкавэдист. И тут происходит следующее. Приехала отдыхать художница из Киева, старая еврейка (это я потом из разговоров родителей узнал, но не очень тогда представлял, что это слово значит), больная, с трудом поднимавшаяся по ступенькам. Неноменклатурная — директор ее не встречал. Случайно столкнулись в вестибюле. И мы там оказались, шли с пляжа, что ли. И вот эта пожилая женщина, увидев директора, впала в истерику.

— Это он, он пытал меня в тюрьме в Могилеве, перед войной. Подлец, инвалидом сделал. Это он, старший лейтенант такой-то.

Что-то на о... Криворученко? Не помню... Кстати, у директора была другая фамилия, что не удивительно, как я теперь понимаю. Кадры берегли. Тех, кого не расстреляли под горячую руку на антибериевском пике, снабдили новыми фамилиями и пристроили втихую на хлебные места.

— Помнишь меня, мерзавец?

Директор, надо сказать, отнесся ко всему хладнокровно. Видно, не впервой ему попадались бывшие:

все-таки дом творчества художников, контингент сложный, засоренный. Он бочком-бочком ретируется. И попадает в руки к оказавшемуся рядом отцу с его физической крепостью и всегдашней готовностью дать плохому человеку по морде. В данном случае подогреваемой очевидностью ситуации: сталинский палач, холеный и сытый, жертва-инвалид. Время хрущевское, антикультовый заряд еще не иссяк. К тому же гад: пытался ребенка не пустить в комнату, а перед всякой сволочью выслуживается... Кара была неотвратима. Даже энкаведист смирился и кричал что-то совсем уж неприличное:

— Не я это был, обознались.— И отцу: — Ответите!

Даже мама не делала запретительных жестов. Собиралась небольшая толпа художников. Сочувствующих директору не находилось. Даже помощники отцу выискались. И уже белая холщовая рубаха директора (под поясок, тогда уже казавшаяся старомодной, безобидно бухгалтерской, из фильмов тридцатых годов) затрещала. И первый раз по загривку дали — хлопок такой резкий прозвучал. И тут появляется фигура Андрея Андреевича Мыльникова. В пляжной пижаме. Он уже, кажется, был академиком и лауреатом, профессором уж точно. Он удивительным образом сочетал в себе высокого эстета, эдакого прерафаэлита, и ленинградского убежденного карьериста. Конечно, и у него бывали срывы. На каком-то высоком съезде он выступал с речью от лица творческой общественности. Доверительно обращаясь к старцам президиума, сидевшим на возвышении под портретом Ленина его работы (эта чеканка на металлическом занавесе Дворца съездов присутствовала в телекартинке почти постоянно: в Кремле заседали и отмечали в режиме non-stop), он совершенно неожиданно вспомнил пушкинское: «Нет правды на земле. Но правды нет — и выше». Слава богу, это уведомление не было воспринято дремлющими старцами адекватно, Андрею Андреевичу повезло. Но в целом он строго соблюдал баланс. Такой вот этатический эстетизм. Словом, человеческий и творческий тип был незаурядный. Так вот, Андрей Андреевич подошел неслышно. Он мгновенно оценил ситуацию. Не то чтобы он сочувствовал энкаведисту, вовсе нет. В ленинградской интеллигенции, даже успешной и чиновной, жила затаенная ненависть к этому сословию. Были причины. Опытный Мыльников с ходу просчитал последствия. Скандал с возможными политическими нюансами никому не был нужен. Тем более скандал в его присутствии. Барски снисходительно он взял отца под руку. И показал на старинные напольные часы (бог знает, откуда попавшие в Дом творчества). Там, на бронзовом круглом маятнике, как в мутном выпуклом старинном зеркале, отражалась, с небольшим искажением, вся эта группа.

— Посмотрите, Дима, вылитый Ян ван Эйк. Чета Арнольфини.

С этими словами он достойно удалился. После такой высокой эстетической планки бить гада было уже несподручно. Дали пинка, и он исчез. Недели на две. Новую смену он уже встречал, как ни в чем не бывало: заискивал перед начальниками, отчитывал рядовых членов творческого союза. Пятьдесят лет прошло. Отца и матери уже нет. Мыльникова тоже. И когда бываю в Лондоне, в Национальной галерее, и когда просто попадется под руку репродукция, внимательно рассматриваю «Портрет четы Арнольфини»: молодой негоциант с женой, и на заднем плане — круглое зеркальце. Там эта пара, соответственно, изображена зеркально, зато виден художник в тюрбане и еще какой-то человек. И все. И никакого ответа.

ДУШЕЧКА

Тип чеховской Душечки у меня ассоциируется с одной искусствоведшей, Аленой Н. Очень милой женщиной, знающей, работавшей в московском музее. Я позвонил ей — дело было лет тридцать назад — после какого-то вернисажа, выпивший. Люди мы не местные, питерские. Как-то не озаботился, где в Москве переночевать, ну и напросился. Времена были легкие. К тому же знал, что она замужем. Так что никаких подводных камней быть не могло. Она легко согласилась, правда, предупредила: муж у нее уже другой, не тот, которого я знал, и просила ничему не удивляться. И вот я в квартире, раскланиваюсь с мужем, молодым человеком довольно странного вида: он был бородат; несмотря на позднее время и домашнюю ситуацию, одет в ветровку и вообще напоминал бесконечно далекий от нашего круга типаж итээровцев-туристов, из этих, «с гитарой за туманами». Вообще казалось, он только от костра, от мошкары, пропахший дымом... О дезодорантах большинство населения СССР вообще тогда не слыхивало... Как обещано, я не выказывал удивления. Но в комнате (а это была большая комната в коммуналке) раскрыл рот: посредине стоял большой надувной плот с какой-то — не знаю, как это называется,— каюткой-шалашиком посередине.

— Ты не удивляйся,— сказала Алена.— Мы теперь плотогоны. То есть мой муж плотогон, капитан плота, а я так, но экзамен на судовождение (или, скорее, плотовождение) уже сдала... По-настоящему будет, конечно, большой плот, а не надувной матрас, это мы так, привыкаем. Весной сплавляемся.

Мне постелили в коридоре на диванчике. Сами хозяева полезли в каюту-шалаш. Привыкали. Спал я плохо: снился то ли Енисей, то ли Ангара, бревна под ногами ходили. Под утро, никого не разбудив, крадучись, ушел. С огромным облегчением. Пару лет звонить побаивался. Встретились в Третьяковке на очередном вернисаже. Алена доложила, что все нормально, карьера в порядке, но муж уже другой. Говорила с таким нескрываемым трепетом, что я побоялся спросить — кто, чем занимается? К чему привыкают? Душечка.

МАЛЕНКОВ АЛЕКСАНДР

Ум, достоинство, сдержанность, интеллект, юмор, точность — это Саша. В его прозе есть свой стиль, есть позиция, есть дыхание жизни. Он так просто пишет о сложном, что тебе кажется, что ты тоже так думал, просто не смог об этом именно так сказать. Он пишет о вечном и таком узнаваемом. Он пишет о любви! Невероятный кайф читать его вслух!

Максимова Полина, российская актриса театра и кино, телеведущая

ДИМА БОЛЬШОЙ

Черт знает, какие затычки вставляет взрослая жизнь в наши органы чувств. Вроде живешь в том же мире, что и в детстве, но вокруг вырастает кокон, сквозь который, если и проникают запахи этого мира, его прикосновения, его вибрации, то только в виде эха детских ощущений — пахнет осенью, как тогда, земля липкая, как тогда, замерзшие листья хрустят под ногой — все только как тогда. И, похоже, по-другому уже не будет...

У нас не было ни дачи, ни поместья, ни какого-нибудь гулкого особняка — у нас была только квартира в девятиэтажном доме и двор, к нему прилагавшийся. Удивительно, как может простой московский двор стать вселенной для ребенка! И сейчас, глядя на его скромность и обычность, даже не хочется думать, что волшебство детства может вот так же превратить во вселенную и барак, и комнату в коммуналке, и собачью конуру. Куда только девается эта непритязательность... И зачем я теперь стал такой притязательный?

Двор имел свое символическое начало во времени: вскоре после того, как мы въехали в новый дом, на пустыре за один день построили детскую площадку. Целиком деревянная, она состояла из (записывайте): резной горки с громыхающим скатом, резной спортивной обоймы (турник, шведская стенка, качели), страшного резного деда с домиком кормушки в перпендикулярных лапах, не менее страшного резного чебурашки, резных качелей в виде бревна на опоре. И песочницы. Всю эту желтую лакированную роскошь с удивительной для меня, ребенка, серьезностью расставляли и вкапывали взрослые мужики. Мы, дети, еще не знакомые друг с другом, вначале глазели на стройку, а потом — о, радость! — нам велели помогать. И мы что-то держали, что-то тащили... Чувствовать себя полезным — одно из самых дефицитных ощущений для маленького человека.

Так началось мое дворовое детство.

Двор был полон одним только нам известных тайн. Вот неприметная квадратная дверца в стене дома — взрослые проходят мимо, не обращая на нее внимания, но мы знали, что за этой дверцей прячется кран без вентиля. При помощи семейного ключа от велосипеда кран оживал и превращался в источник холодной воды, такой нужный летом, в сезон брызгалок (не домой же бегать их наполнять).

Вот кирпичный забор, у которого в верхнем ряду не хватает одного кирпича — ухватившись в прыжке за эту выемку, можно было взобраться, перелезть и обнаружить на той стороне крашеную крышу железного сарая. А сдвинув ее — она сдвигалась — покинутое голубиное гнездо, в гнезде яйца, а в яйцах (или вы думали, что десятилетнего мальчика может что-то остановить?) довольно противный эмбрион несостоявшегося, как теперь уже понятно, голубиного птенца.

Мы знали, где дворник хранит краску-серебрянку, как попасть на крышу, как украсть шампунь для брызгалки из окна хозяйственного магазина. В новый дом обычно въезжают молодые семьи, так что компания у нас была большая, росшая вместе через начальный, а потом средний школьный возраст.

Дима Большой (в отличие от малопримечательного Димы Маленького) был на самом деле не очень большим, щуплым и белобрысым, но зато самым старшим среди нас. Годам к пятнадцати он стал реже снисходить до игр с мелюзгой, но когда это случалось, наша компания сразу казалась мне значительней. Дима умел рассказывать. В осенних сумерках его ломкий голос уносил нас в сказочную страну взрослых, где пили вино и занимались настоящим сексом с настоящими женщинами-десятиклассницами (подозреваю, что все это он просто выдумывал на радость шпане). Дима Большой знал все анекдоты и похабные стихи, умел смешно показывать пьяных и курил. Были у него в запасе и приличные истории — он мог в деталях описать, как лежал прикованный под маятником с лезвием,— картина, которая оставила в моей фантазии сильное впечатление, и в которой я годы спустя опознал рассказ Эдгара По. Он здорово рисовал, знал правила всех игр, просвещал нас, какие марки машин круче, за какую команду надо болеть, какую группу слушать. Аргумент «Дима Большой сказал, что „Бони М“ — фуфло, а „Чингисхан“ — клево» был решающим в дискуссии о музыке.

Ровно в восемь с восьмого же этажа неизменно слышался зычный крик «Алёёёёшаа, дооомооой!», как две волны с подъемами на «лёёё» и «дооо», и Алеша всегда одинаково вначале пугался, потом, стесняясь, опустив глаза, бормотал «Мне пора» и убегал в свой третий подъезд. Он всегда уходил первым. «Беги скорее,— напутствовал его Дима Большой,— у мамки сиська остынет!» И мы смеялись, сплевывали между зубов, но потом тоже расходились, а Дима — Дима всегда оставался последним.

Паша был младше меня на год, жил в соседнем подъезде, а его папа ездил за границу. Однажды Паша вышел во двор с заморской диковинкой — дротиками. Оперенное шило втыкалось в дерево при любом броске, мы кидали дротики по очереди, сидя, стоя, лежа, из-за спины, на дальность и на точность. Дима Большой, дымя сигареткой, взялся за снаряд, спружинился и зашвырнул его вверх. Дротик взмыл к низким облакам и застрял в стволе тополя на уровне пятого этажа. «Батя меня убьет» — прошелестел Паша. «Тогда твой модный велик чур мой» — цинично ответил Дима.

Дротик можно было разглядеть, но снять его не представлялось возможным, несмотря на то что мы иногда залезали и выше — у нас во дворе росли высокие тополя,— именно этот экземпляр не оброс в нужных местах удобными ветками. И еще долго потом, гуляя или по дороге в школу, я поглядывал на тополиного пленника, с каждым годом чуть дальше отдалявшегося от земли. Я представлял, как он покрывается снегом зимой и сосульками весной, как он ржавеет под дождем... Мне казалось, что когда-нибудь я сниму его. Наверное, он и сейчас торчит из ствола, но, увы, я давно утерял способность разглядеть его. Потом я узнал, что Дима в тот же вечер пришел к Паше домой и взял ответственность за утраченный дротик на себя.

Зимой, когда острый морозный вдох пронзал ноздри до самого мозга, мы играли на утоптанном снегу в хоккей с мячом. И боль от удара плетеным мячиком по коленной чашечке была невыносимой, но короткой. И снятая шапка дымилась паром.

Весной, когда пустой и сухой воздух вдруг за ночь превращается из газа в жидкость, просвеченную лучом, наполненную щебетом, звоном, скрипом отпираемых окон, запахом таяния, хлюпаньем и шмыганьем,— наступало время игры в банки. Когда земля подсыхала, начинались ножички и футбол. Круглый год мы лазили по деревьям, падали с них, ломали руки и ноги, но когда к нам присоединялся Дима Большой, все почему-то кончалось тем, что он рассказывал, а мы слушали.

Он собирался поступать в Иняз, и многие из нас тоже, на удивление родителей, стали рассуждать о прелестях жизни переводчиков. Но так же резко, как он иногда сообщал нам что еще вчера всеми уважаемый Панасоник — это фуфло, а вот Филипс — это клево, так же неожиданно Дима Большой решил поменять жизненную траекторию и пойти в армию, потому что «только армия сделает из тебя настоящего мужика». Уже на излете нашего детства он уходил в военкомат с нарезанными хлебом и колбасой, и по дороге сел к нам на лавочку, покурить напоследок.

А потом детство кончилось совсем, колеса завертелись, зачарованный двор стал отдаляться со страшной скоростью, начались переезды... Когда я снова попал во двор, его было не узнать. Все пустые места заняли машины, даже футбольное поле закатали под стоянку, резная площадка истлела, появились новые заборы, а дети исчезли. У подъезда сидел Дима Большой, совсем уже небольшой, меньше меня. Я ему кивнул, мне показалось, что он пьян. Потом мне рассказали, что он вернулся из армии и начал пить. Шли годы, и каждый раз, когда я оказывался во дворе, его ссутуленная тщедушная фигура всегда была в поле зрения — он куда-то шел, шатаясь, или сидел на наших старых местах.

Нашим детям уже больше, чем нам было тогда. И хотя двор уже не тот, я все еще могу определить месяц по запаху, когда там оказываюсь. Мы выросли и разбежались, калейдоскоп больше никогда не сложится в тот узор, только запахи, только память и Дима Большой. Который отказался взрослеть и трезветь и, как дротик в стволе тополя, остался торчать в месте своего предназначения, остался навсегда во дворе.

СИНЕЕ ПОЛОТЕНЦЕ

В первый же день отдыха в хорватском пляжном отеле с Иваном Александровичем случилось досадное происшествие — у него украли полотенце. Отель и так не до конца оправдывал ожидания в четыре тысячи евро за неделю — персонал вел себя безучастно, кровати на вилле застилали кое-как, со стола не убрали косточку от нектарина. А с полотенцем с самого начала пошла какая-то излишняя для заслуженного отпуска суета. Первый же встречный сотрудник отеля (молодой мужчина с надписью «Staff» на футболке) чрезвычайно оскорбился на вопрос «Где можно раздобыть пляжное полотенце?»

— Ай эм теннис инструктор! — воскликнул он,— Ай ноу нофинг эбаут тоулез!

Оказалось, что полотенца выдают в крытом бассейне, вместе со специальной карточкой в обмен на сто хорватских кун, то есть тысячу рублей. Иван Александрович взял два. Подумаешь, какие церемонии, размышлял он, расстилая голубой махровый трофей на жестком шезлонге. Матраса к шезлонгу не полагалось. Зонтиков тоже, хорошо хоть богатая хвойная растительность давала достаточно тени.

Перед ужином Иван Александрович решил искупаться, прихватил полотенце и отправился на пляж. Вода нагрелась за день, закатное солнце ласкало лысину Ивана Александровича. Когда он вылез из воды, оно ласкало его тело, а когда он подошел к шезлонгу, солнце приласкало и то место, где он оставил полотенце. Полотенца не было. Хм, подумал Иван Александрович, наверное убрали. Завтра зайду в бассейн, возьму новое.

Однако следующим утром полотенце просто так давать отказались, сколько он ни размахивал выданной карточкой.

Глупость какая, подумал он. Украли полотенце, значит. Белое полотенце из ванной он решил не пачкать и пошел на пляж так.

— Возьми новое за деньги,— посоветовала жена Елена Петровна,— и помажься кремом.

Новое за деньги брать не хотелось. Не то чтобы было жалко тысячи рублей, но сама ситуация... Хороший бизнес, саркастически рассудил Иван Александрович. Сами выдают полотенца, потом небось сами и крадут. Нет уж, со мной этот номер не пройдет.

До обеда он героически лежал на голом шезлонге.

— Так и будешь весь отпуск маяться? — не отрываясь от чтения Донцовой, спросила супруга.

В ее голосе как будто проскользнула ирония. Елене Петровне было только сорок два, и Иван Александрович в свои пятьдесят пять хотел выглядеть молодцом в ее глазах.

— Это принцип,— заявил он.— Я не буду каждый день покупать по полотенцу! Мне и так хорошо. Полотенца для слабаков.

— Ну-ну,— ответила Елена Петровна.

Довольный этим проявлением принципиальности Иван Александрович раскрыл свой том Донцовой и попробовал читать, но литература не пошла. Он думал об этом «ну-ну». Что-то было снисходительное в этом «ну-ну». К тому же спина неприятно прилипала к пластмассовому шезлонгу. Что это такое, в конце концов, думал он. Я вкалываю как каторжный, руковожу большим коллективом, прилетаю в отпуск, а ко мне тут за мои деньги относятся как к школьнику, потерявшему варежку!

После обеда Иван Александрович пошел ругаться на ресепшен. По дроге от заготовил гневную речь о том, что за четыре тысячи евро он может рассчитывать на такой отдых, во время которого он не должен думать о всяких глупостях вроде полотенец. И косточку от нектарина со стола не убрали! Но скудный английский позволил ему облечь всю эту речь лишь в два яростных слова:

— Тауэл столэн! — заявил он на ресепшене, сверкая глазами.

Ресепшен покивал, пообещал сообщить о пропаже всему персоналу и вернуть в случае ее обнаружения, а за новым полотенцем порекомендовал обращаться в бассейн.

— Ну как? — спросила молодая жена. Она вернулась с массажа и, лежа на кровати, смотрела хорватское телевидение.

— С их английским что-либо объяснять бесполезно,— махнул рукой Иван Александрович.— Проще плюнуть. Буду я себе в отпуске нервы портить.

Но плюнуть не получилось. Весь вечер и весь следующий день он думал только о трех вещах. О том, что за свои деньги он не получает качественного сервиса. О том, что жена считает его тряпкой. И о том, что надо перестать обо всем этом думать. Море было холодным, дно каменистым, Донцова скучной. Иван Александрович портил себе нервы.

Утром третьего дня он шел на завтрак по дорожке между виллами и бормотал «четыре тысячи евро, тоже мне четыре звезды», как вдруг уткнулся в какую-то клетку на колесиках. Это была тележка, с которой горничные прикатывались убирать виллу, на ее полочках лежали моющие средства, рулоны туалетной бумаги, стопки чистого и кучи грязного белья. На верхней полочке валялись скомканные белые и синие полотенца. Синие полотенца. Иван Александрович огляделся. Горничная возилась со шваброй на крылечке одного из домиков, которые здесь громко именовались виллами. До нее было шагов десять. Больше вокруг не было никого, не считая обогнавшей его жены. А ведь можно просто взять полотенце, подумал Иван Александрович. Взять, закинуть на плечо и пойти дальше. И никто не докажет, что это не мое полотенце. От простоты и реальности этой картины вдруг захватило дух и пахнуло каким-то ужасом, несоразмерным с масштабами преступления. Иван Александрович усмехнулся, махнул рукой и побрел дальше по дорожке.

Однако ни на завтраке, ни на пляже криминальный соблазн уже не оставлял. Одно движение, думал он, жуя безвкусный порошковый омлет. Горничная стоит спиной, размышлял он, спускаясь по скользким железным ступенькам в море. Полотенец на каталке столько, что никто даже не заметит разницы. Да и вообще это мелочь, всего лишь полотенце. Но по-хорошему говоря, надо это сделать. Так будет справедливо. Они украли у меня, я украду у них. А что такого? Око за око, зуб за зуб, полотенце за полотенце...

— Ты чего такой веселый? — спросила жена за ужином.

— Так,— ответил Иван Александрович.— Отпуск, море, жена красавица — чего мне быть грустным?

— Ну-ну,— сказала Елена Петровна.

Вечером жена уже спала, а Иван Александрович таращился в темноту и, немного стесняясь своих мыслей, как бы в шутку прорабатывал план. Как только в поле зрения окажется горничная и ее тележка, нужно выбрать момент, когда вокруг нет свидетелей, а горничная не смотрит, медленно... нет, в обычном темпе подойти очень близко к каталке и, не глядя по сторонам,— потому что, когда человек все время оглядывается, это подозрительно,— не глядя по сторонам коротким быстрым движением взять синее полотенце, закинуть его на плечо и пойти дальше как ни в чем не бывало. Какое полотенце? Это? Это мое. Вот карточка. Я взял его в бассейне в первый день. Но вы же жаловались на пропажу? Я? Ах, что вы, нет-нет, я забыл сказать, что потом нашел его. Завалилось под шезлонг.

На четвертый день, после завтрака, Иван Александрович сказал:

— Схожу на ресепшен поменяю деньги.

— Угу,— ответила жена.— не зависай там. А то все места займут.

Убедившись, что жена не смотрит, он переобулся, вместо шлепанцев надел кроссовки, чтобы быть свободнее в маневре и ступать тише, совсем уже собрался сделать шаг на тропинку, ведущую к калитке... И тут понял, что кажется совсем не хочет идти красть полотенце. Сердце почему-то застучало, во рту пересохло — организм бунтовал против преступления. Глупость какая, подумал Иван Александрович. А может, ну его? Пойдем сейчас спокойно на пляж, ляжем на шезлонг... И прилипнем спиной? Нет, нет, решение принято. Я все еще мужчина. С годами соблазн уступок судьбе растет. Это, конечно, мелочь. Но вот так один раз пойдешь на компромисс, другой — и превратишься в беспомощную развалину, у которой можно отобрать вначале полотенце, потом квартиру, потом жизнь. Надо оставаться в тонусе, уметь противостоять, иногда показывать клыки.

Вздохнув, он сделал шаг на тропинку, потом открыл и закрыл калитку и пошел на дело, мягко ступая резиновыми подошвами по плитке, покрытой сосновыми иголками.

Слабые надежды, что каталки не будет, что полотенца не будет, а горничная, наоборот, будет рядом — рассеялась. Горничная стояла на веранде виллы спиной к дорожке с охапкой грязного белья под мышкой и изучала свой телефон. Каталка торчала прямо поперек дорожки, сверху лежала груда полотенец — белых и синих. Бери — не хочу. Идеальная ситуация. Иван Александрович шел и понимал, что у него нет возможности остановиться и еще раз все обдумать. Остановишься — привлечешь внимание. До каталки оставалось десять шагов, девять. Вокруг никого. Восемь, семь. Мысли скакали. Если бы каталка… на солнце… то слишком рискованно… Но каталка в тени… Шесть, пять. Одно движение. А если горничная заметит? Закричит? Сказать извините, я не знал? Или «донт спик инглиш»? Четыре шага, три. Руки дрожат, все дрожит. Или сказать ничего не знаю, мое! Сердце так стучит… Какой идиотизм! А давно я не был у кардиолога? Два, один… Может быть завтра? Да, лучше завтра.

Поравнявшись с каталкой, Иван Александрович с удивлением на грани обморока осознал, что его рука сама сняла с каталки верхнее синее полотенце, сама забросила его на плечо, а ноги сами пошли дальше. Секунда растянулась в вечность, сейчас послышится крик горничной… Один шаг, второй. Затылок стал холодным, уши натянулись. Третий, четвертый. Тишина. Пятый, шестой… Получилось!

Иван Александрович приосанился. Вот идет обычный отдыхающий, в шортах и кроссовках.

У него на плече стандартное синее пляжное полотенце. Наверное, идет на пляж, скучное, заурядное зрелище. Через десять шагов он вместе с полотенцем полностью слился в своих глазах в уверенную в себе, законопослушную конструкцию.

— Вот,— сказал он жене, вернувшись с грабежа.— Поорал на них, выдали новое и извинились. В конце концов, имею я право на нормальный сервис за свои деньги?

— Имеешь, имеешь,— ответила Елена Петровна.— Ты не видел мои темные очки? А, вот они.

На пляже он расстелил полотенце на шезлонге, улегся и почувствовал благодать. Окунаться в прохладную воду, а потом сохнуть, подставляя тело солнцу, лежать на мягком, читать хорошую книжку, любоваться женой — что еще нужно человеку в отпуске?

К ним подошел загорелый мужчина с надписью «Staff» на футболке и спросил, из какой они виллы. Он обходил пляж каждый день, на предмет проверки, не загорают ли на отельном пляже посторонние. Иван Александрович назвал номер виллы. Мужчина посмотрел на него внимательно, кивнул и ушел.

Ивану Александровичу не понравился этот взгляд. Ему показалось, что мужчина заметил полотенце. Которого вчера здесь не было. И позавчера тоже. А вдруг это не ерунда? Допустим на секунду, что горничная недосчиталась полотенец, и всему персоналу об этом уже сообщили? Тогда отдыхающий, которого все помнят без полотенца и который вдруг обзавелся полотенцем,— первый подозреваемый. Наверняка синие полотенца наперечет. Не зря же за них вносят залог и дают карточку. Как глупо он себя выдал! А ведь он еще ходил ругаться на ресепшен, весь отель знает, что полотенце у него украли, и тут вдруг оно появилось. Откуда бы?

Иван Александрович огляделся. Ему показалось, что остальные отдыхающие на него смотрят. Он скатал полотенце в валик и подсунул под спину, чтобы издалека казалось, что он лежит на голом шезлонге.

По пути домой они обычно заходили в бассейн менять грязное полотенце на чистое. Теперь их было два. Иван Александрович твердым шагом направился сразу к вилле.

— Полотенца не хочешь поменять? — спросила жена.

— Да чего их менять каждый день? Полежали час и уже менять? Нужно об экологии думать!

Жена пожала плечами.

За ужином Иван Александрович был рассеян. Заметив, что муж уже минуту размешивает сахар в чае, жена спросила с улыбкой:

— О чем задумался?

Иван Александрович очнулся и перестал мешать чай.

— О камерах. Тут ведь наверняка везде камеры.

— И что?

— Ничего, так. В двадцать первом веке уже шагу нельзя ступить, чтобы тебя не снимали.

— Ну, это, наверное, для безопасности. Зато преступлений стало меньше...

В чем он был утром? В белой футболке, в шортах... В темных очках — это хорошо. И — вот черт! — в красной бейсболке «Спартак»! По ней его опознать — раз плюнуть! Тьфу! Главное, он и за «Спартак»-то болел в последний раз лет тридцать назад. Сын узнал об этом и подарил эту бейсболку. Спасибо тебе, сынок! И тебе «Спартак», спасибо! Удружили! Если полотенце уже ищут, и мужик на пляже действительно его заметил, через сколько им придет в голову посмотреть записи с камер? Может быть, это происходит уже сейчас.

Иван Александрович осторожно огляделся и поймал тревожный взгляд официанта. По спине стекла капля пота. Так. Так. Ну официант, ну посмотрел, у него много работы, не до улыбок. А ведь вчера улыбался... Не надо сходить с ума. Может быть, ничего этого нет и никто не ищет никакое полотенце. А зачем тогда они берут тысячу рублей в залог? Хорватия — небогатая страна. Для той горничной это целое состояние. Если с нее спросят, она, конечно, скажет — украли с каталки, ищите, смотрите камеры.

Безобразная сцена явилась мысленному взору Ивана Александровича: в шесть утра,— он читал, что такие вещи обычно случаются очень ранним утром,— к нему на виллу заявляется служба безопасности с полицейским, просят пройти на ресепшен, предъявляют обвинения в мелкой краже... Какой позор! Мелкая или крупная — это кража, преступление, за такие вещи могут и въезд в Евросоюз закрыть! А главное — самое главное — что они будут думать о русских после этого!

От былой гордости за лихой поступок не осталось и следа. Боже, зачем я это сделал? Подумаешь, барин, липко ему лежать было. Не хотел, видите ли, пачкать белое полотенце из ванной. Тоже мне, Робин Гуд! Робин Гуд хоть раздавал бедным, а я из-за тысячи рублей испортил себе отпуск, опозорил страну, обокрал вдову. Она наверняка вдова, эта горничная. Муж погиб. В Сербии. Это тут рядом.

— Давай попросим счет,— пересохшим голосом сказал Иван Александрович.— я что-то неважно себя чувствую, перегрелся наверное.

— Бедный! — сказала жена.— А как же десерт?

Ночью, когда жена уснула, он пробрался на веранду и закурил. Иван Александрович уже два года как бросил курить, но на всякий случай возил с собой пачку сигарет и зажигалку, вдруг приспичит. Приспичило. Если они его узнали, то уже ничего не сделаешь. А если еще нет? Тут на юге все неторопливые. Тогда... Тогда надо вернуть проклятое полотенце! Да! Это идея!

Он, как в старые добрые времена, прикурил вторую сигарету от первой и повеселел. Точно! Тем же путем. Надо утром пройти мимо и кинуть полотенце на каталку.

Иван Александрович дурно спал и окончательно проснулся уже в семь. Дожидаясь, пока проснется жена, он пытался изучать правила въезда в Евросоюз, но Интернет все время отключался. «Тоже мне, сервис,— бормотал Иван Александрович,— четыре звезды... четыре тысячи евро...»

На этот раз горничной даже не было в поле зрения. Скомкав полотенце, он, словно баскетболист, на ходу бросил его в корзину и пошел дальше по дорожке, ощущая блаженную пустоту в руках.

— Мистер! — донеслось сзади.

«Это не мне»,— подумал Иван Александрович и ускорил шаг, хотя уже прекрасно понимал, что «мистер» — это именно он. Выросшая как из-под земли горничная, коренастая, довольно жизнерадостная для вдовы женщина, настигла его через десять шагов. В руках она держала проклятое полотенце.

— Ноу! Ноу! — она замахала левой рукой, а правой стала совать полотенце Ивану Александровичу.— Пул, свиминг пул!

— Нот андерстанд,— проблеял он, хотя чего уж там было не понять: горничная теперь махала свободной рукой в сторону маячившего неподалеку здания бассейна.

Всучив рассеянному постояльцу полотенце, она радостно покивала — не сомневайтесь, мол, мистер, это надо относить в бассейн, точно говорю — развернулась и отправилась восвояси.

Иван Александрович остался стоять с компроматом в руках на виду у всех камер.

«Что же теперь делать?» — думал он, держа полотенце бережно и одновременно брезгливо, как будто это была чья-то отрубленная голова. Послезавтра уезжать. Даже если меня не поймают в эти два дня, то потом клубок распутается, а у них все мои данные — паспорт, номер карты. Что же делать? Что делать?

В тот день он не пошел на пляж. И на следующий тоже. В ночь перед отъездом он выбрался из виллы с пластиковым пакетом, в котором лежало синее полотенце. По дороге на пляж он подобрал кирпич, который подпирал дверцу на теннисном корте, и положил его в пакет.

На пляже было пусто. Он выбрал место потемнее, куда не добирался свет фонарей, разулся, скинул на бетон футболку, спустился по лесенке в воду и побрел по мелководью, прижимая пакет к груди, поскальзываясь, спотыкаясь и бесшумно чертыхаясь.

Когда теплая ночная вода стала доставать до пакета, Иван Александрович поплыл. Он плыл, плыл и плыл, он доплыл до буйков, чего никогда не делал за все восемь дней отпуска, и поплыл дальше. Ветерок холодил мокрое разгоряченное лицо, бесценный и ненавистный груз мешал, тянул на дно, дышать становилось тяжело, пару раз Иван Александрович хлебнул горькой морской воды. Наконец, когда фонари на набережной превратились в далекую вереницу огней и весь отель можно было охватить взглядом — от ресторана, где они обедали, до ресторана, где они ужинали, он отпустил пакет. Тот закачался было на волнах, но Иван Александрович толкнул его вниз, туда, где дно, где ад, где полотенцу самое место — и пакет, выдохнув на прощанье большой пузырь, скрылся в пучине.

— Попрощался с морем? — спросила жена.

Иван Александрович в мокрых плавках лежал на диване и смотрел в потолок стеклянным взглядом.

— Угу.

— Монетку бросил, чтобы вернуться?

— Монеток не было. Тысячу рублей кинул.

— Романтик! Я уже почти все собрала. Ты в чем полетишь?

Вернувшись домой, Иван Александрович, поменял все кредитные карты, поменял загранпаспорт, сделал новую шенгенскую визу и решил впредь отдыхать только зимой на горнолыжных курортах.

СНЕГИРЕВ АЛЕКСАНДР

Рассказы Александра Снегирева для меня сродни живописи высокого класса, к ним как к картинам, полным смысла, можно возвращаться снова и снова, не спеша размышлять, смаковать послевкусие, наслаждаться мастерским словом, считывая тонкий и при этом рожденный добром и любовью юмор. Если хочется увидеть жизнь глазами умного, проницательного, остро чувствующего и оригинально мыслящего человека, то Сашина проза — лучший проводник в этот мир

Катерина Шпица, российская актриса театра и кино, телеведущая

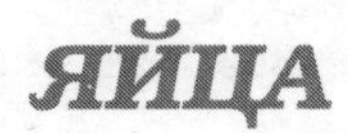

ЯЙЦА

Моей задачей было развлекать участников перед началом съемок. Там я с ней и познакомился.

Продюсер считал меня специалистом по слабому полу. Был ли я и правда специалистом, или только продюсеру так казалось, установить теперь трудно. Одно помню отчетливо — девчонки строили мне глазки и хихикали, а когда подходила их очередь идти в павильон — они весело туда скакали. А продюсеру только это и было нужно.

Обычно после такой работы моя записная книжка переполнялась телефонными номерами. С некоторыми у меня происходили встречи в нерабочее время. В тот день мне приглянулась одна брюнеточка. Все у нее было на месте: и круглая попка, и упругие сиськи, и шелковистая кожа, и густые волосы, и моим шуткам она заливисто смеялась.

Так как никакой другой задачи, кроме как развлекать девчонок, передо мной не стояло, то я мог себе позволить на законных основаниях вовсю флиртовать с подопечными. Приглянувшаяся мне брюнеточка держалась неприступно, зато ее подружка в очках интереса не скрывала. Очень скоро она начала прижиматься ко мне то передом, то задом, не имея для этого никакого повода. Довольно необычное поведение для первой четверти часа знакомства.

Очкастая не обладала выдающейся внешностью; серо-желтые волосы были туго затянуты в хвост, острый носик поддерживал очки. Фигурки, как у нее, знатоки называют миниатюрными. Незаметная такая фигурка, невыразительная, однако не воспользоваться столь сильным желанием дамы было глупо.

Пару недель я невнятно мямлил, отвечая по телефону на ее призывы пойти куда-нибудь вместе. Идти с ней мне, разумеется, никуда, кроме постели, не хотелось. К счастью, у ее мамаши близился отпуск, и она должна была отвалить на дачу.

Теплым летним вечером я прогуливался с Витькой и Юккой. Мне хотелось выпить с ними какого-нибудь вина, сидя на лавочке. Хорошим летним вечером всегда хочется выпить вина на лавочке. С другой стороны, хотелось включить в расписание и очкастую.

Витька сразу нашел выход. «Покупаем вино и едем к ней. Скажи, чтобы позвала подруг». Потыкав пальцем в телефон, я связался с очкастой. Она поначалу бурчала недовольно, но быстро смягчилась. Сказала, что в гостях у нее та самая брюнеточка со съемок и что они ждут нас с нетерпением. Денег имелось в обрез, а еще надо было прикупить выпивки, так что ни о каком такси и речи быть не могло. Мы двинулись в сторону метро. Летом все в кайф, даже метро.

Доехав до конечной станции, мы выбрались на поверхность. Вокруг в буквальном смысле царили последствия какой-то катастрофы: мы увидели рельсы, но не увидели трамваев, на асфальте валялись грязные картонные коробки; газеты и обертки от хот-догов летали, словно осенние листья; хаотичными зигзагами бегали крысы, собаки выли, люди отсутствовали.

Я задумался о бедности. Я и раньше догадывался, что очкастая бедна, но, только оказавшись в ее районе, понял, насколько. Мои друзья тоже думали о бедности. Юкка высказался, что бедные люди всегда очень неудобно селятся. До них сначала на метро надо ехать, потом трамвая ждать, который не ходит, потом маршруткой и еще пешком по темным подворотням, где бомжи из каждого угла хрипят.

У заколоченной витрины стояла украшенная лентами дешевая корейская машинка. Бедные люди едва поженились или только собираются.

Приметив среди опустошения и разрухи продуктовый, мы зашли выбрать бутылочку. Провозились долго. Шутили, дурачились и почти забыли, зачем пришли и чего нам надо. Собравшись с мыслями, выбрали два крымских хереса и сыру на закуску.

В очереди перед нами стоял несвежий мужчина со слабыми приметами модности. Что-то в прическе, что-то в одежде. Как будто остатки старой краски на сером заборе. Рядом пристроилась немолодая девушка с синяком под глазом. Кассирша, охранник и двое покупателей посмотрели на нас с подозрением. Мы ощутили себя американцами на окраине Багдада или еще на какой освобождаемой от предрассудков территории. Не пересчитав сдачу, мы поскорее вышли из магазина.

Куда идти мы не знали, и потому принялись-таки искать такси. Мы могли бы встать хоть на середину улицы — машин не было вовсе, и только минут через десять показалось первое средство передвижения — битая колымага, сошедшая когда-то с отечественного конвейера, за жизнь натерпевшаяся, ведомая ныне темным горцем с расфуфыренной бабой по правую руку.

Мы набились сзади.

Рулевой был такого угрожающего вида и погнал колымагу по выбоинам с такой скоростью, что нас охватил ужас. Мы решили, что это людоед с подругой, что он сейчас отвезет нас в свое логово, съест и трахнет.

Хотя как можно трахнуть то, что уже съел? Он поступит с нами наоборот. От этого легче не становилось. Зато лично мне расфуфыренная баба понравилась. Расфуфыренные бабы редко бывают злыми.

По радио заиграла песня про стюардессу по имени Жанна. Юкка со страху вцепился в ручку двери, а мы с Витькой, не сговариваясь, дружно загорланили в унисон с хрипящими колонками: «Ангел мой неземной, ты повсюду со мной».

В зеркальце заднего вида тусклым золотом поблескивала улыбка горца.

Покружив по району, колымага подкатила к месту назначения — панельной башне. Юкка так обрадовался, что сделал расфуфыренной бабе какой-то неуклюжий комплимент, отчего нам с Витькой, самой бабе, да и горцу стало неловко, и мы поспешили прочь.

* * *

Жилище очкастой оказалось таким же бедным, как и весь район. Мне ужасно стыдно, когда я попадаю в бедные квартирки. В подъездах бедных домов обычно пахнет протухшей водой и каким-то варевом, стенки лифтов исцарапаны скучными и нелепыми обращениями и восклицаниями, коридоры перед бедными квартирами завалены пыльным барахлом, балконы бедных квартир тоже завалены, чем забиты шкафы и антресоли, и думать не хочется. Мы с Витькой и Юккой вовсе не богачи, но бедность бывает разной; в квартирке, в которой мы оказались, не пахло ни аристократическими предками, ни пороком, ни хорошим вкусом, ни борьбой с властью. То есть мы встретились с абсолютной бедностью. Бедностью без причины. Бедностью, передающейся по крови.

Неловкость в такие моменты испытываешь не от обстановки, а от собственной фальшивости, от того, что начинаешь делать комплименты какому-нибудь дрянному сувениру, пластмассовой Эйфелевой башенке, купленной в случившейся лишь однажды туристической поездке и стоящей с тех пор на самом почетном месте в коридоре. Смущаешься от того, что нахваливаешь невкусную еду, проявляешь интерес к презираемым тобой сухим букетам-икебанам. Не бедность вызывает неловкость, а попытки юлить перед самим собой.

Мы сняли кеды и, широко улыбаясь и звеня бутылками, прошли на кухню. Тусклый свет, газовая плита, чистая потертая клеенка на столе. Юкка разлил херес в пять разных стаканов, одинаковых не нашлось. Витька порезал сыр толстенными ломтями, и всем стало весело. Очкастая сложила в огромную кастрюлю целую гору яиц и поставила варить. Я моментально сожрал последнюю конфету из вазочки.

Хруст фантика заставил очкастую обернуться. Когда она поняла, что конфета погибла, ее лицо на мгновение заволокла печаль.

Вскоре мы погрузились в очистку скорлупы. Ни до, ни после того вечера я не видел такого количества вареных яиц. Скорлупа слезала легко. Редко что приносит такое удовлетворение, как хорошо отстающая яичная скорлупа. Очкастая заговорила о новом китайском халате, который ей непременно хотелось продемонстрировать. Она поднялась с табуретки и, призывно виляя задом, пошлепала из кухни. Откусив было яйцо, я промычал что-то про помощь в надевании китайского халата и вразвалку двинулся следом.

***

Она игриво брыкалась и отворачивалась. Ее вертлявое тельце то и дело выскальзывало из моих рук. Но вдруг она изменила тактику и стянула майку через голову. Я смял ее небольшие грудки, после чего они совсем куда-то пропали. Она пискнула, я повалил ее на диван.

Резинку она надела ртом. Я ртом ничего делать не стал. Она сжала мои руки за головой и уселась сверху. Такие штучки не в моем вкусе, очкастая застала меня врасплох, и я не успел опомниться, как представление завершилось.

Для меня, не для нее.

Она пошла в туалет доделывать то, чего не удалось мне, а я натянул джинсы и, ощущая пьянящее безразличие, вернулся на кухню.

Мы продолжили пить и смеяться. Я целовал пальцы брюнетки и одновременно поглаживал Юккино колено.

Зачем мне понадобилось колено приятеля, не ясно. Наверное, что-то подсознательное. Брюнетка руки не отнимала, Юкка сидел насторожившись, очкастая хмурилась, Витька похохатывал.

* * *

Когда чернота за окнами стала рассасываться, и проступил утренний пейзаж, из второй комнаты, которая все это время стояла закрытой, вышел маленький мальчик в промокших трусиках. Очкастая встрепенулась, засуетилась, но мальчик успел назвать ее «мамой», схватил за полу халата и сообщил, что описался.

После манипуляций с простыней и душем очкастая, вняв нашим настойчивым просьбам, усадила сына за стол. Он потирал сонное личико, улыбался и прятался в ее китайские складки. Тут и открылось, что конфета, которую я съел, предназначалась ему.

Этому беловолосому маленькому человеку.

Обнаружив пропажу конфеты, он не заревел, не начал капризничать, он продолжал улыбаться. Если бы в тот момент я мог выменять конфету на джинсы, я бы отдал джинсы. Отдал бы кеды, спортивные носки, майку и крестик отдал бы.

На прощание мальчик потянул меня за штанину, а когда я склонился к нему, неожиданно поцеловал меня в висок.

* * *

Утреннее солнце превратило район в привлекательный и даже ласковый. Не знаю, можно ли назвать район ласковым, но именно ласка исходила от серых стен, ставших розовыми, от вытоптанных газонов, от трещин в асфальте.

Разбудив спящую продавщицу в том самом магазине, мы наскребли на буханку черного и банку кабачковой икры.

Икру продавщица открыла консервным ножом.

Продребезжал первый трамвай.

Продавщица включила радио.

Диктор сообщил, что полчаса назад на Кавказе началась война.

ОН СКОРО УМРЕТ

Иерусалим. Святые места. Впервые здесь. Сняли комнату у глухого старика. Когда договаривался с ним по телефону, жена спросила, чего я так ору. Ору, потому что он каждое слово переспрашивал.

Приехали. Еврейская часть Старого города. Дом вроде нашли, но никак не поймем, где дверь. Вокруг все такое древнее. Зато отделение полиции сразу видно. Здоровяки в синем, увешанные стрелковым оружием и переговорными устройствами.

Набрал Авраама (нашего глухаря Авраамом звали), проорал в трубку, что мы подъехали, но никак не можем найти дверь, пускай встречает.

Сказал, сейчас.

Топчемся. Повсюду бородачи с меховыми шайбами на головах, бабы в париках и дети в каких-то нахлобучках. И чем более невиданный наряд, тем физиономия важнее. Священный город. Из-за угла появился носатый старпер в кепке-аэродроме и очках-хамелеонах.

— Вы Авраам?

— Допустим,— ответил старпер осторожно.

— Мы у вас будем жить!

— Вы оба? — уточнил старпер, кивнув на жену.

— Так точно.

— И этот тоже? — он указал на мужика, чья собачка присела рядом.

— Нет, этот не с нами.

Старпер задумался.

— А как вы меня нашли?

Ну и зануда, мы его жильцы, только что с самолета, с трудом разыскали адрес, а он нас на улице держит, расспросами мучает!

— По Интернету,— говорю,— нашли.

— По Интернету? — Авраам покивал со значением. Я уже подхватил чемоданы и тут слышу дребезжание за спиной.

— Эй, эй! Вы ко мне?

Оборачиваемся. Из полуподвальной дверцы, которую мы не заметили, ползет старикашка.

— Я Авраам.

Сколько же тут Авраамов. Извинились перед тем, что в кепке, и он не стал скрывать радости.

Подвал оказался обширным, с внутренним двориком посередине. Хозяин показал наше жилище, перескакивая с английского на французский. Проявил светские качества, умение шутить и делать комплименты. Щурил голубые глаза и, вообще, был сущим симпатягой. Даже угостил собственноручно испеченным пирожком и признался моей жене, что она напоминает ему невесту брата, которая тоже была русской и по совместительству его первой любовью. Шевелился этот обаяшка, правда, с трудом. И быстротой реакции не блистал. Я даже подумал было отчалить, пока не поздно. Того и гляди помрет наш домохозяин. Да и сходство моей блондинки с его первой меня совсем не вдохновляло. Но жена в Авраама вцепилась. Сказала, он напоминает ей прадедушку.

Комнатка оказалась милой, но не слишком опрятной. Посуда на кухне была вымыта частями. Душ и туалет не сверкали. Но в целом живописно. Мы же в Старом городе не ради пятизвездочных удобств решили поселиться.

Потекли дни. Мы плутали узкими тропками меж каменных стен. Повсюду шастали местные военные. В основном бабы. Вечерами через площадь перед Стеной Плача маршировала центурия спецназовцев, два хасида в обкомовских шляпах наблюдали с лестницы.

В христианской части — выпили кофе. В армянской — глухие стены. В арабской — проезжающий на велике подросток хапнул жену за сиську. За очередным поворотом увидели свисающие с проводов кроссовки.

— В нашей школе так забавлялись с обувкой ботанов.

— Твои забрасывали? — спросила жена.

— Нет, я держался в стороне от разборок.

— В Штатах кроссы на проводах означают точку продажи наркоты.

— Откуда знаешь?

— У отца отжали бизнес через полгода после того, как он отправил меня учиться в Нью-Йорк. Выживала, как могла.

Мы стояли, задрав головы. Пустая улочка, изгибаясь, уходила вниз. Кроме нас ни души. Здесь явно не Штаты.

— Выглядят довольно новыми,— вгляделся я в покачивающиеся белые «найки».

— Некоторые верят, что обувь, заброшенная на провода, пригодится в следующей жизни. Поэтому новые пары закидывают.

Так мы провели несколько дней, близился мой день рождения, и мы думали, как бы его отметить в стиле Иисуса Христа и пророков. Тут Авраам, который все это время проявлял к нам всяческую любезность, предложил съездить на Мертвое море. Он все равно собирался, и нам это ничего не будет стоить. Я выразил осторожные опасения по поводу способности Авраама вести автомобиль, но жена надо мной громко посмеялась. Ха-ха. Да этот очаровательный старичок еще даст тебе фору.

На следующее утро в мой день рождения мы покатили под уклон. Авраам бойко объезжал желтые горы, успевая показывать, где один пророк узрел Бога, а другой оживил мертвеца.

Половину Библии проехали.

Вдруг желтые горы разошлись, вспоротые из-под низа длинным белым осколком, и Авраам свернул на каменистую дорожку, сказав, что сейчас покажет нам свое секретное место. Дикий пляж, куда он регулярно ездит.

Вскоре, однако, машина уперлась в бетонные блоки, перегораживающие путь. Судя по сухому бурьяну и запустению, не ездили здесь очень давно.

Авраам вырулил обратно на трассу, мотор несколько раз рявкнул с раздражением состарившегося супергероя. Вдали показался обустроенный пляж и домики для водных процедур.

Мы решили отблагодарить Авраама — угостили обедом. Он заказал вино и разошелся. Начал рассказывать про местные блюда, как их правильно есть руками и даже стал какие-то куски моей жене в рот совать. А она чмокала и глотала с хихиканьем. Я озверел немножко, но решил держать себя в руках. Всего лишь старикашка, которому осталось-то, может, несколько дней. Пусть побалуется.

Когда вакханалия прекратилась, Авраам отправился на массаж, а мы спустились к морю.

Короста соли, ямы наполненные грязью, народу никого.

Полежали на воде, которая чуть ли не выпуклой оказалась.

Вылезли.

Обмазались грязью.

Покидались грязью друг в друга.

Точнее я в жену кинул, а она обиделась.

Пришлось утешать. Она утешилась и забросала меня в ответ.

Собрались уходить, навстречу толпа африканцев.

Паломники.

И все как один в белых кроссовках.

В белоснежных.

А я стою на краю ямы с грязью, черномазый весь. Одни глаза моргают. Жена к тому моменту успела отмыться под специальным душем. Все паломники ринулись ко мне. А в руках бутылочки. И все просят наполнить.

Я наполнил одну, другую. Смотрю, остальные спешно воду допивают и в очередь ко мне выстраиваются. А какая-то баба из их компании подол задрала и в море подмывается.

— Извините,— говорю.— Мне пора. Передаю полномочия вон той леди.

И на бабу кивнул.

Из толпы крещеных потомков Хама мы вырвались вовремя. Авраам залез в резервуар с горячей водой термального источника. А там ограничение — пятнадцать минут, не больше. К тому моменту, когда мы подошли, он уже побултыхался хорошенько, но выходить не хотел. А сам красный, как голяшка из «Мироторга».

Впрочем, я его понимаю — в резервуаре кроме него одни девки, и перед каждой плавают сиськи, вытолкнутые на поверхность законом физики.

Устроились смиренно ждать на лавочке.

Наконец, смотрим — ковыляет. В одних плавках и рубахе. Мы за ним. Точнее рядом с ним. Подстраиваясь под шажки. Возле дверцы машины он задержался: я думал помочь надо, а он отлить решил.

Прямо на колесо.

Я смутился от того, что смутил его. Да и вообще созерцание седых яиц не моя слабость.

Когда он попытался натянуть штаны, шатаясь на одной ноге, то едва не упал. Я было опять сунулся помогать, но встретил отпор.

В машину уселись, как есть.

Пока мы принимали оздоровительные процедуры, автомобилей на стоянке прибавилось. Малолитражку Авраама хорошенько зажали.

Но он мудрить не стал: подал вперед, подал назад. Раздвинул соседей и, поднимая пыль, вырвался на шоссе.

Супруга моя рядом с ним села — ее на заднем сиденье укачивает. Я ее все дергал: «У него там ничего не торчит? Он же без штанов. Ты туда не смотри!» Жена уверяла, что ничего у Авраама не торчит, а если бы и торчало, то ей это все равно.

Не успели мы проехать и сотни метров, как стало ясно — шофер наш ничего не соображает. Автомобиль то гнал вперед, то еле тащился. Следовавшие за нами гудели и, обгоняя, сворачивали шеи, таращась с любопытством.

Лично мне к такой езде не привыкать. У меня бабуля, когда получила права в шестьдесят лет, за троллейбусом пристраивалась и ехала со всеми остановками.

В отличие от бабули, Авраам вилял. Его носило с обочины на встречку. Жена вопила и крестилась, буквально разгребая руками несущиеся на нас грузовики, показывая им, чтобы подали в сторону.

Навстречу, как специально, катили одни грузовики. Будто в тот день все из Иерусалима решили сбежать. Вместе с мебелью.

Перегибаясь то и дело через голову Авраама, чтобы поправить руль, я стал требовать, чтобы он передал управление мне. Он промычал, мол, у меня нет прав.

Я достал права и сунул ему под нос, но он перешел на непонятный язык. Я такого даже у нас в Москве на продуктовом рынке не слышал.

В зеркале заднего вида полыхало его лицо, а на дне потемневшей мути глаз пульсировала воля. Смерть преследовала Авраама и он жал на газ, упорно отматывая Писание в обратном направлении.

За нами погнались полицейские. Впервые в жизни я обрадовался подобному. Полицейские поравнялись с нами, жестами приказывая тормозить.

Авраам даже головы не повернул. В те дни поблизости проводилась очередная операция по уничтожению филистимлян, армия и внутренние войска были приведены в боевую готовность, и мне пришла мысль, что гонки со стражами порядка могут закончиться стрельбой. «Будет забавно, если меня прикончат в мой день рождения»,— только успел подумать я, как полицейские свернули на перекрестке.

Закатное солнце ударило в лицо со всей страстью уходящего светила. После того как очередной грузовик с истошным гудением вильнул в сторону, жена завопила:

— Я беременна!

Если бы я треснул Авраама бутылкой по башке, это бы произвело меньший эффект. Муть в глазах прояснилась, прижался к обочине, как миленький.

— Покажи права.

Показал.

— И это права? — с презрением вякнул Авраам, но я даже слушать не стал.

Ну, потрепанные немного, велика беда.

— Правда? — спросил я тихо у жены, пересаживая ее назад, потому что Авраам согласился сидеть только рядом со мной, чтобы дернуть ручник, если что.

— Правда,— ответила жена и почему-то покраснела.

Остаток пути проехали молча, без приключений. Начинался час пик. Машины отовсюду так и перли.

Авраам велел остановиться на тротуаре у Навозных ворот. Я выразил сомнение в правомерности такого выбора, но он заявил, что через полчасика вернется и отгонит машину на парковку.

До дома шли через площадь. Авраам таки натянул брюки, но они съезжали. Раза два или три встретились его знакомые. Они здоровались, спрашивали все ли в порядке и, получив утвердительный ответ, провожали нас долгими взглядами.

Авраам завалился спать, а мы пошли отмечать в ресторан. Жена сделала сюрприз — заказала у музыкантов песню из мультфильма про Чебурашку. Я широко улыбался и пританцовывал, сидя на стуле, остальные люди в зале хлопали.

На следующий день Авраам заявил, что по нашей вине ему выкатили штраф за неправильную парковку.

Он оказался мстительным, ночью включил на полную телевизор, расположенный прямо у нас за стенкой, а сам ушел в свою дальнюю коморку.

С того дня, невзирая на наши мольбы, Авраам включал телевизор каждую ночь. Съезжать не хотелось, деньги были уплачены вперед. Измученные бессонницей, мы быстро успели растерять все расположение, которое испытывали к Аврааму в начале знакомства. Жена собиралась придушить «старого пердуна», а я сетовал, что надо было слушаться меня и бежать сразу.

Накануне нашего отъезда Авраам, который совсем оправился от купания в лечебном кипятке и снова выглядел светским милашкой, вдруг сообщил, что назавтра мы должны съехать в шесть утра.

— Это почему? — удивились мы.— В любой гостинице номер принято покидать в полдень. А мы съедем даже раньше, в десять. У нас дальняя дорога. Зачем поднимать нас в такую рань, особенно если учесть, что из-за дурацкого телевизора, который орет по ночам, мы совсем измучились.

— Может, это у вас в России из гостиниц съезжают в полдень, а в моем отеле чек-аут в шесть утра! — гордо объявил Авраам.— Мне надо успеть на утренний субботний концерт.

Утренний субботний концерт в Иерусалиме. Насмешил.

— Тогда верните нам деньги за один день, и мы переедем в гостиницу,— предложила жена.

— Мой отель денег не возвращает! — отчеканил Авраам и гордо развернулся, собираясь удалиться, сверкая икрами голых ног. В тот день он был в колониальных шортиках, белых носках и белых же кроссовках.

Жена догнала старикашку, схватила за грудки и начала трясти.

— Верни мои деньги, гад!

Остановить ее удалось, только напомнив, что в ее новом положении стрессы и физические нагрузки запрещены.

— Пошли в полицию! — воскликнула жена.

А полиция, как мы заметили в день приезда, за соседней дверью.

Заходим. Комнатка. Мониторы, бронежилеты, стрелковое оружие, рации, стол. За столом громила.

Начинаю на английском. Так и так. Бабки взял, выставляет раньше времени.

— По-русски давай! — рявкнул громила.— Я из Риги.

— Бабки взял, возвращать не хочет, выставляет раньше времени.

— Это который тут живет? — громила указал в сторону Авраамова подвала.

Жена кивнула.

— Не волнуйся, он скоро умрет,— ободрил нас рижанин и пересказал услышанное напарнику.

Напарник рассмеялся и что-то сказал. Громила перевел:

— Он скоро умрет.

— Нам бы выспаться перед отъездом,— сказал я.

— Хочешь, чтоб я с ним поговорил? — спросил громила.

Выбравшись из-за стола, громила оказался не таким уж огромным. Вместе с напарником они отправились к Аврааму. Раздался стук в дверь и голоса.

Мы с женой сидели перед пустым столом. Перед мониторами, говорящими рациями, бронежилетами, стрелковым оружием и молчали.

Полицейские скоро вернулись. Они были веселы.

— Все в порядке. Можете съехать в полдесятого.

— Спасибо. Но нам надо в десять.

— Без пятнадцати, и по рукам. Не волнуйтесь, мадам,— обратился на прощание громила к моей жене.— Он скоро умрет.

Остаток дня мы провели тихо. Авраам не показывался. Мы собирали чемоданы. Надевая трусы, я зацепил ногой ткань, трусы порвались.

Я бы не обратил на это внимания, если бы не особенный статус трусов. Первый подарок жены, мы тогда еще только начинали встречаться. Когда-то оранжевые в черных птичках, теперь застиранные, с обтрепанными краями. Я бы давно выбросил их, если бы не смутное ощущение сакральности. Теперь трусы порвались, я уложил их в чемодан и надел другие. На сердце было тревожно, я подпер дверь стулом.

На этот раз домовладелец не стал пытать нас ночными телешоу, спали мы крепко. Проснулся я, однако, около шести без всякого будильника. Солнце било в окошко. В скважину двери тыкался дрожащий в старческой руке ключ.

Я смотрел на подпертую дверь и ждал. Жена спала. После нескольких дребезжащих промахов ключ таки влез и повернулся. Дверь толкнулась и встала. Стул накрепко заблокировал ее.

— Съезжайте из моего дома! — завопил Авраам.

— Что случилось?! — вскочила жена.

— Доброе утро,— сказал я.

Злобный старикашка бесновался и скоро отправился за подмогой.

Жена наотрез отказалась вставать с постели. Я оделся, чтобы встретить штурм как джентльмен. Через небольшое оконце в санузле я скоро увидел двоих, одного в синей, другого в зеленой форме. Уличный патруль: полицейский и военный.

Стук в дверь.

Открываю.

Зеленый поздоровался по-русски и шагнул в комнату. Увидев жену под одеялом, он извинился и отступил обратно за порог.

— Вы еврей? — спросил он меня.

— А что? — ответил я.

— Вы поселились в религиозном районе.

— Допустим,— согласился я на всякий случай и рассказал нашу историю.

Солдат выслушал и пообещал поговорить с Авраамом. Мы стали ждать.

Через несколько минут солдат сообщил, что обо всем договорился — мы можем съехать даже не в десять, а в половину одиннадцатого. Он отдал честь жене и подмигнул мне:

— Он скоро умрет.

— Я его проучу! — как только патруль удалился, жена вскочила с постели и забегала по комнате.— Он меня, гад, запомнит! Не дал поспать!

Жена — сова, поднять ее на заре все равно что медведя разбудить.

Первым делом она написала шариковой ручкой на стене возле кровати, что Авраам монстр и чудовище.

Хорошая идея, но если поставить себя на место будущих клиентов «отеля» Авраама, то они вполне могут свихнуться. Снял ты комнатку у милого старичка в историческом центре, порезвился с женой, отвернулся к стенке, счастливый, и видишь: «Авраам — монстр, беги, пока не поздно»!

Я вспомнил бабушкины рассказы про то, что пленные немцы, которые после войны строили в Москве дома, разбивали о стенки яйца и заклеивали обоями. Яйца тухли, и запах в квартирах навсегда становился невыносимым. Вряд ли у пленных немцев был избыток продуктов питания, чтоб пускать их на месть, только бабуся моя обои переклеивала постоянно, аромат, впрочем, все равно стоял специфический.

У нас оставались кое-какие запасы, и я разбил пару яиц за холодильником и кухонным шкафчиком. Посмотрел по сторонам, что бы еще придумать. Выключил свет, снял светильник и начал было соединять провода, но тут жена щелкнула выключателем, и меня отбросило на пол.

Ничего.

Я привык добиваться своих целей. Даже училка в начальной школе на родительском собрании выделяла мою целеустремленность. В ту пору целеустремленность моя проявлялась в том, что на каждой переменке я задирал девочкам платьица.

Короче, пригладил я волосы, успокоил супругу и снова взялся за провода. Электричество — моя стихия. Я в электричестве дока. На трамвайные рельсы, правда, с детства боюсь наступать, все кажется, долбанет. Но это маленькая странность мастера. У нас вся семья на электричестве повернута. Отец сигнализации устанавливает, а дядя какие-то детали с трансформаторов свинчивал, пока пять лет не дали.

Кстати, дядя в детстве научил меня закидывать на провода ботинки, связанные шнурками. Если ботинки набить чем-нибудь тяжелым, болтами, гайками, то провода соединяются и происходит замыкание. Диспетчер отключает напряжение и направляет на место ремонтную бригаду. В этот момент надо не зевать: успеть срезать кабель и везти в пункт приема цветмета.

Соединив провода, я вспомнил еще кое-что. Огляделся в поисках тряпки. Ничего. С трепетом достал из чемодана священные трусы, поцеловал их, скомкал и запихнул в унитаз. Будто жилы свои рвал, оттого затолкал поглубже. Надежно закупорил.

Закончив последние приготовления, мы уселись в полумраке. Жена наотрез отказалась выходить раньше десяти.

Даже в кафе идти не захотела.

Нажав на слив в туалете, она громко закричала и выскочила, спасаясь от накатывающей волны. Забыл ее предупредить.

Ровно в десять мы с гордыми лицами вышли во внутренний дворик, оставляя позади хорошенько заминированную комнатку.

Авраам сидел за круглым столом спиной к нам. Вся его спина выражала презрение.

Жена, не поворачиваясь, направилась к выходу.

Я положил ключ перед Авраамом.

Я увидел голые коленки — старикашка снова облачился в синие шорты, белые носки и белые «найки».

Я не удержался — захотел встретиться с ним взглядом напоследок.

Глаза его смотрели мне за плечо, туда, где за стенами дома, за стенами города в глубокой впадине белый осколок вспорол желтые горы. Глаза были остры и неподвижны, как кристаллы соли, и не пульсировала в них воля, а только отражались окружающие предметы и небо немножко.

Ребенка мы назвали Авраамом. Жена настояла. Я Василием хотел. В честь дяди-электрика. Хорошо, сын родился. Не представляю, как бы девочка с таким именем жила.

ФИЛИПЕНКО САША

Александр Филипенко — автор, задающий нам всем очень серьезные и важные вопросы. Вопросы, благодаря которым мы возвращаемся к нашим ценностям, к пониманию того, что есть наше предназначение, какими качествами должен обладать по-настоящему переживающий, сочувствующий, неравнодушный человек. Александр — тот автор, произведения которого долгое время не «отпускают» наши мысли. После прочтения которых хочется стать гораздо более искренним и внимательным и к своим близким, и ко времени, в котором мы живем, к обществу, к стране, к себе самому!!!

Матвеев Максим, российский актер театра и кино. Заслуженный артист России

КАТАРАКТА

Начало конца. Убедившись, что собака уснула, Алексей делает второй укол. Включается смерть. Препарат блокирует работу дыхательных органов, и жадно хватая воздух, животное задыхается во сне.

Собачье сердце остановится через несколько минут. Чтобы пристав смог убедиться в этом, ветеринар протягивает человеку в бахилах стетоскоп. В последний раз погладив собаку, Алексей подходит к окну и пытается вспомнить тот день, когда животное впервые попало сюда. В этих же числах, три года назад. Документы на развод были поданы. Жена проговаривала последние грубости, и Алексей искал новую квартиру. Едва собаку ввели в кабинет, он понял, что бедолагу привели умирать. После нескольких лет в клинике Алексей безошибочно определял животных, которых не собираются забирать. Хозяин не поздоровался:

— Скока стоит?

— Что именно?

— Сам знаешь.

Алексей действительно знал, но хотел, чтобы хамоватый мужчина проговорил эту просьбу вслух. Собака ветеринару понравилась, а человек нет.

— Усыпить — скока стоит?

— Вы можете спросить в регистратуре.

— Я уже к тебе зашел, доктор — там очередь.

— Мне сперва нужно взвесить ее. До десяти килограммов — тысяча шестьсот рублей, после — две...

— А какая разница, скока она весит?

— От этого зависит количество препарата, которое я введу.

— Ясно, короче два косаря?! Нехило ты тут навариваешь, Айболит.

Это был бассет, сука, лет пять от роду. Абсолютная лень как признак незаурядного ума и вековая печаль в глазах, которые теперь, впрочем, напоминали два мутных хрусталика. Сняв ошейник, к которому была приколота георгиевская лента, ветеринар спросил:

— Как зовут?

— Владимир.

— Я про собаку.

— А... да какая теперь хер разница?! — улыбнувшись собственной остроте, прохрипел человек.

— Давно это с ней?

— Наверно... задрала уже всех... разносит весь дом, слепая дура.

— Почему вы раньше не обратились?

— Не видели.

— Понятно. Я бы на вашем месте не спешил — это катаракта. Думаю, что после операции со зрением все будет хорошо.

— А скока стоит операция?

— Тридцать шесть тысяч.

— Тридцать шесть тысяч?! Вы че бахнулись тут все? Тридцать шесть тонн, чтоб псине глаза новые вставить? Это же собака, а не человек! Я же говорю — усыпить я ее хочу...

— Хорошо — ответил ветеринар.

Пристав решает подойти к столу. Алексей дает понять, что рано. Собака еще задыхается. Окно открыто. Из музыкальной школы напротив доносится печальная (как осень) соната Скарлатти. Ветеринар слушает грустную мелодию и вспоминает, что тогда, три года назад, решил забрать собаку себе. У жены была аллергия, но с разводом эта проблема решилась сама собой. О бассете он никогда не мечтал. Знал только, что они своенравны, обидчивы и склонны к ожирению. Нескольких лечил. Кажется, у всех были проблемы со спиной, но эта — эта ничего, оказалась крепкой.

Взяв две тысячи, ветеринар попросил хозяина подписать договор и отправил мужчину восвояси. Коллегам же объяснил, что усыплять собаку не хочет. Все все поняли. Пожалели. Ветеринара. «Развод дело тяжелое,— куря вместе с юными музыкантами на заднем дворе клиники, рассудили они,— человек всегда боится остаться один».

Перезвонив риелтору, Алексей уточнил, что ищет квартиру, «где можно с собакой». Женщина предупредила, что это будет дороже, но пообещала помочь. Вернуться домой Алексей больше не мог — будущая бывшая жена непременно нашла бы это маленькой и мерзкой местью. Как результат, неделю вместе с бассетом Алексей провел в своем кабинете. Протянув собаке открытую ладонь, он дожидался, пока животное обнюхает руку, и лишь после этого гладил бассета, но не по голове, а под подбородком, потому что так учили кинологи, и это конец начала.

***

Во время операции ассистент спросил:

— Как зовут?

Алексей задумался, и спустя несколько мгновений, продолжив удалять катаракту, ответил:

— Фемида.

Стали свыкаться. Он с ее повадками — она с кличкой. Взяв в руки миску, Алексей подзывал собаку и, лишь когда животное отзывалось на новое имя, наклонялся и отдавал ей корм. К квартире Фемида привыкала долго и первое время гадила в гостиной. Алексей был к этому готов, а потому делал все, чтобы животное поскорее успокоилось. Если с новым домом возникли понятные проблемы, то двор, показалось, напротив, сразу понравился собаке. Уже на первой прогулке ветеринар поразился, как уверенно Фемида ориентируется на местности. Впрочем, спустя несколько лет он поймет почему.

Зрение вернулось. Жена получила развод.

— Ты даже не представляешь, как я счастлива!

— От чего?

— От того, что в моей жизни больше не будет животных — чихнув на прощание, ответила она.

С Фемидой было весело и непросто. Всякое ее кормление превращалось в аттракцион. Чтобы длинные уши не оказывались в миске, Алексей закреплял их прищепкой. Ветеринар чувствовал, что собака тоскует по прежнему хозяину. Зачастую, во время прогулки, Фемида тащила ветеринара в соседний двор, будто там был ее старый дом.

Зимой Фемида любила усесться на замерзшую лужу и ждать, пока Алексей прокатит ее. Весной, летом и осенью собака обожала пробежки, которые непременно заканчивались во дворе по соседству. Вечерами животное устраивалось в кресле, и, сев рядом, открыв Большой толковый словарь, Алексей читал:

— Фемида — дочь Урана и Геи. Обладала даром прорицания и помогла Зевсу развязать Троянскую войну.

И это середина. Это середина, потому что здесь все могло бы и закончиться, но однажды Фемида сорвалась и рванула туда, где жила до операции. Догнав бассета, Алексей увидел собаку в ногах мужчины, который, казалось, был ему знаком.

Фемида лаяла и виляла хвостом. Алексей не сразу узнал бывшего клиента, а она — сразу. Фемида скулила, рвалась к старому хозяину, но мужчина не спешил гладить ее.

— Слушай, Павлов, это же моя псина?!

— Ваша — вдруг осознав, почему Фемида так хорошо знала эти места, ответил ветеринар.

— Я же сказал тебе усыпить ее!

— Мы с коллегами решили, что лучше вылечить собаку.

— Что, блядь, значит — мы решили? Это моя собака!

— Да, но вы же отказались от нее...

— Это не твое дело! Я тебе два косаря заплатил!

— Я могу вернуть вам деньги.

— Не нужны мне твои деньги — верни собаку тогда!

— Нет! — бывший хозяин попытался взять Фемиду, но ветеринар оттолкнул его и сбил с ног.

— Ну ладно, сука,— стряхивая с себя грязь, прорычал мужчина,— ты у меня еще попляшешь!

Следующим же утром в клинике раздался звонок. Разгневанный клиент потребовал вернуть собаку и пообещал, «что всех выебет». Коллеги Алексея подумали, что не стоит обращать внимание на сумасшедшего (такие звонки время от времени случались), но спустя несколько недель ветеринар получил повестку в суд.

Написав сообщение бывшей жене, Алексей объяснил, что нужна помощь: «Ты, все-таки, как-никак адвокат» — закончил он. Женщина долго отвечала гифками, но в конце концов согласилась участвовать в процессе. Бывшая жена объяснила, что действовать стоит следующим образом:

— Ты и сам знаешь, что по российским законам собака — имущество. Всякий владелец вправе распоряжаться собственным имуществом как ему пожелается, вплоть до уничтожения. Если ты сожжешь собственный шкаф — тебе никто и слова не скажет. С животными, конечно, несколько сложнее — обращение с ними должно быть гуманным, однако, если он будет настаивать на том, что хотел усыпить собаку потому, что она страдала,— мы бессильны. Можно было бы пойти на мировую, но судья этого не предложит, потому что наши судьи вообще не знакомятся с делами до процесса. Думаю, будет всего одно слушание — ни у кого нет охоты заниматься этой ерундой вечно. В общем, я тут подумала: мы начнем с того, что собака наша...

— Как это наша? Он же сможет легко доказать обратное!

— Как? Вызовет суку в суд? У нас, конечно, всякое происходит, но приобщать к делу допрос бассета вряд ли кто-нибудь решится. Пусть докажет, что собака его.

— Но это же легко сделать! Он может просто позвать ее по старой кличке.

— Для этого нужно, чтобы судья согласилась вызвать собаку в суд.

— А они заберут Фемиду на время процесса?

— Ага, еще и подписку о невыезде с нее возьмут.

— Я серьезно!

— Да никому не нужна твоя собака, кроме тебя!

В ночь перед судом Алексей не мог уснуть. Он злился. Вся эта ситуация казалась ему абсурдной. «Черт, ты спасаешь собаку, а за это тебя еще и вызывают в суд!» Алексей сердился на Фемиду. «Как можно было так глупо поступить?!» Впрочем, собака, конечно, не могла знать, что все эти годы мечтала вернуться в руки смерти. Кроме этого, ветеринара злили идиотские законы, согласно которым он, возможно, должен будет вернуть собаку. До самого утра Алексей ходил по комнате и пытался найти слова, которые, как ему хотелось верить, помогут спасти собаку.

Во время заседания в зале было душно. Судья зевнула и спросила:

— Вы свои права знаете?

Истец для чего-то буркнул «нет» и, цокнув, судья пробубнила права. Ходатайств не было, на мировую истец не пошел. Словно вновь оказавшись за школьной партой, Алексей внимательно слушал женщину, представлявшую интересы пострадавшей стороны. Дама уверенно бубнила:

— Опознав в собаке свое имущество, собственник решил защищать свои права в судебном порядке. Мы знаем, что нарушение прав собственника может быть двух видов: собственника лишают его имущества, и он не может им владеть, пользоваться и распоряжаться, либо собственнику мешают пользоваться имуществом и распоряжаться им. Мы понимаем, что в данном случае собственника лишили его имущества, а потому, во-первых, он предъявляет требование об изъятии имущества из чужого незаконного владения, а во-вторых, так как деньги были взяты, а собака оказалась живой — выдвигает требование о надлежащем выполнении оказываемых услуг.

Пока адвокат говорила, Алексей разглядывал зал. Он почему-то рассчитывал, что в зале непременно найдется гипсовая статуя с повязанными глазами, но, кроме парт и стульев, здесь ровным счетом ничего не было. «Беднее этого кабинета лишь внутренний мирок мужика»,— посмотрев на истца, подумал ветеринар.

— Таким образом,— заканчивала представитель пострадавшей стороны,— мы считаем необходимостью удовлетворить наш иск на основании сто тридцать седьмой статьи ГК РФ, согласно которой на животных распространяются общие правила об имуществе.

Когда адвокат истца замолчала, Алексей приготовился отвечать на вопросы. Бывшая жена велела врать. «Если судья спросит, чья собака — говори, что наша». Для себя же Алексей решил, что лгать не станет, что расскажет правду. «Я отвечу,— думал Алексей,— что просто захотел спасти животное». Ветеринар не сомневался, что любой здравомыслящий человек займет его сторону. Алексей наивно полагал, что ситуация предельно понятна, и никаких других решений, кроме как оставить животное у него, быть не может. В отличие от ветеринара, его бывшая жена иллюзий не питала. Женщина прекрасно понимала, что добрая воля не имеет к закону никакого отношения. Взяв слово, женщина заявила, что подписав соглашение на усыпление, бывший собственник автоматически лишился права владения, а значит — никаких прав на собаку он больше не имеет...

Выслушав обе стороны, судья заявила, что суд удаляется в совещательную комнату. Формально соблюдая закон, женщина встала из-за стола, подошла к двери, открыла ее и... вернулась на свое место.

— Ознакомившись с делом, суд постановил, что ответчик не должен возвращать собаку истцу, так как, передав собаку клинике на усыпление, истец действительно потерял право обладания имуществом, что было прописано в договоре, который истец подписал. Это первое. При этом суд согласился с тем, что услуги по усыплению животного были оказаны ненадлежащим образом, и обязует ответчика выполнить возложенные на него обязательства в полном объеме. Хорошего дня.

Конец. Сердце Фемиды останавливается. Ветеринар дает понять, что теперь можно. Пристав подходит к столу и, приложив стетоскоп к собаке, убеждается, что маленький насос больше не качает кровь. Животное мертво. Пристав положительно кивает, и, резким движением стянув с себя синие резиновые перчатки, Алексей бросает их в корзину. Вероятно по велению педагога, где-то там, в музыкальной школе, ученик или ученица начинает играть сонату Скарлатти заново. Круг замыкается, и справедливость торжествует.

ПЕТЮ УКУСИЛА СОБАКА

Моей бабушке

Папу забирают седьмого ноября тысяча девятьсот тридцать седьмого года. Я лежу на спине — мне ровно год. Стучит дядя Петя, сосед по коммуналке. Он претендует на нашу комнату и, как позже выясняется, на маму. Сосед улыбается. Мама отказывается от врага народа, и первые четыре года жизни я полагаю, что дядя Петя — мой отец. Когда мне исполнится восемнадцать, я узнаю, что папа жив. Неделю он просидит в камере для смертников, месяц на Соловках, после чего выйдет на свободу. За него вступится какая-то актриса. Знаменитая. Лично. В кабинете Сталина. Узнав о предательстве, папа никогда не вернется домой.

В октябре сорок первого мы покидаем Москву. Без дяди Пети. Мне четыре, у меня красивые косы и врожденный дефект — косоглазие. Пока мы живем в Москве, меня никто не трогает; на новом месте начинается ад: дети — народ непростой.

Мы живем у маминого брата. Бийск — маленький алтайский городок недалеко от Барнаула, куда меня часто возят из-за болезни ушей и косоглазия. Транспорта нет, поэтому возят на лошадях, в тулупе.

Жизнь сносная — жена дяди Коли работает в магазине. По вечерам мы клеим корешки продуктовых карточек на какие-то листы с помощью сваренного в мундире картофеля. Мне нравится.

Случаются чудеса. Однажды меня приглашают на день рождения дочери директора завода! Одно «но» — мне нечего надеть. Мама берет кальсоны брата. Кальсоны светло-синего цвета, с начесом. Мама шьет мне платье — платье кажется очень красивым. Я горда. Во время праздника какой-то мальчик смеется надо мной: «У косоглазой платье из кальсон!» Я выбегаю на лестницу. Я плачу и повторяю, что у меня красивое платье. С тех пор я не обсуждаю одежду других.

Июнь сорок пятого. Мама каким-то чудом получает литер на возвращение домой. На вокзале звучит песня «Будьте здоровы, живите богато, а мы уезжаем до дому, до хаты». Этой песней провожают всех. Наша комната на седьмом этаже в доме против театра им. Вахтангова занята — у дяди Пети новая семья. Он улыбается. Меня поражает, что потолок и пол уложены дубом — я совсем этого не помню. Теперь, в неполные девять лет, все это кажется мне сказочно красивым. Мама не произносит ни слова. Она берет меня за рукав и выводит на улицу. Мы уезжаем в Серпухов. На этот раз к маминой сестре.

Здесь я иду в первый класс. Портфелей нет. Сумки шьют из старых юбок или мужских брюк. Гордостью каждого школьника является чернильница-неваляшка. Их привозят из Москвы. По весне мы ходим на Оку, где у тети огород. У меня детская тяпка. Мы выкапываем старый, прозимовавший картофель, сушим его и делаем картофельную муку, затем печем лепешки, которые называем «кавардашками». Мое любимое лакомство — фуражный жмых.

Я часто болею. Тетя достает мне барду (остаток от производства пива). Пока я живу — им кажется, что мне лучше. Мне дают еще и еще.

Тетя твердит, что маме нужна опора. Мама соглашается и выходит за военного. Я еще не знаю, что мой настоящий отец жив. Новый дядя кажется мне лучше дяди Пети — я принимаю его.

Спустя год отчима отправляют служить в Западную Украину, в прикарпатский городок Дубно. Каждую ночь вырезают комсомольцев и коммунистов. Каждый день похороны. Мы живем в доме сбежавшего чешского помещика. В доме шесть комнат и одна без окон — потайная. На ночь здесь собираются все пять проживающих в доме семей. На полу большой ковер и мешок семечек. Мне страшно.

У нас немецкая овчарка. Мама зовет ее Петя. Я сильно болею, пес тоже. Вместе мы сидим на завалинке и греемся на солнце. Я мечтаю, чтобы Петя сбежал в Москву и укусил своего тезку. И меня, и пса знобит. Даже на жаре. Петя кашляет — у Пети чумка. Через несколько дней он умирает. У меня малярия, но я держусь. Я очень хочу выздороветь, чтобы поехать в Москву и вылечить глаза.

В конце пятьдесят первого, после нескольких гарнизонных лет (Спасск-Дальний, Хабаровск, Челябинск), мы переезжаем в Минск. Отчим занимает должность главного инженера двадцать шестой Воздушной армии Белоруссии. Ему дают хорошую квартиру, но он не хочет в ней жить. Саша садится в «Победу» и едет по городу искать жилье. Отчим выбирает последний дом в черте города. Мне нравится — здесь никто не косит на меня.

Спустя четыре года я заканчиваю школу. Это первый год, когда в университетах объявлен конкурс. Я хочу на философский, но его закрывают. Все места на историческом отдают полякам. Я решаю пойти в Институт иностранных языков. При поступлении я получаю «четверку». Экзаменатор считает, что я еврейка. Он признается в этом в деканате своим друзьям, и уже следующим утром они сдают его.

Во время экзамена преподаватель дает на перевод всего одно предложение: «Петю укусила собака». Все переводят его так, что получается: «Петя укусил собаку». Предложение в страдательном залоге абитуриенты переводят в действительном. Я перевожу правильно, но я — еврейка. Отчим обращается за помощью к своей знакомой. Знакомая отвечает за быт высокопоставленных чиновников. Она помогает мне попасть на прием к министру образования БССР.

— Рассказывайте! — не поднимая глаз, говорит он.

— Я не еврейка — примите меня в институт!

Меня принимают.

Венгерские события. Отчим уезжает в Будапешт. Я еду в Москву — показать глаза, познакомиться с отцом. Ничего не выходит. Глазам не помочь. Ни моим, ни его. Все это слишком сложно. Я понимаю.

Я никого не виню. Я и сама не знаю, зачем приехала. Говорили же, что ничего не выйдет. Я возвращаюсь в Минск.

Отчим дает мне сто двадцать рублей в месяц. Научный сотрудник получает восемьдесят три. Каждую неделю ко мне прилетает самолет из Венгрии. Мне передают одежду и продукты: приготовленные мамой фазаны, знаменитые венгерские салями, фрукты и токайское вино. Я живу роскошно. Саша любит меня как родную дочь. У меня столько одежды, что можно менять по несколько раз на дню, но я ее не ношу. Я раздаю подружкам.

Теперь я часто летаю в Москву. Премьеры и выставки. Я влюблена в музыку. Мой дефект делает меня уязвимой. Я прячусь в переводах и литературе. Я окружаю себя книгами и людьми, но почти ничего не испытываю к ним. Я не хочу замуж. Я боюсь.

На последнем курсе я замечаю красивого молодого человека. Все вздыхают. Он появляется то с одной, то с другой. Я решаю, что во что бы то ни стало заполучу его. Получается на удивление легко. Деньги отчима делают свое дело. Чертов коммунизм. Мы расписываемся и живем вместе два месяца. Он берет у меня деньги, и уже через шестьдесят дней я узнаю, что его постоянно видят в ресторанах с другими. Я выгоняю его.

Через три года появляется еще один, по сути такой же. Моего второго мужа интересуют только газеты и пиво. Он надоедает мне, и, словно привезенные из Венгрии вещи, я отдаю его своей подруге. В соседний подъезд.

Я влюбляюсь еще раз. В физика. Из Ленинграда. Он говорит, что у меня самые красивые в мире глаза. Он приезжает ко мне каждые выходные и однажды, зачем-то, рассказывает правду. Я провожаю его. Автобус делает круг по привокзальной площади и возвращается к моим ногам. Водитель открывает переднюю дверь и кричит:

— Садись же! Вы такая красивая пара!

Водитель не знает, что у моего физика из Ленинграда есть семья. Двое прекрасных мальчишек. Двое прекрасных мальчишек, которые никогда не узнают, что совсем скоро, в Минске, родится их сводная сестра.

Девять месяцев мать твердит мне, что так нельзя. Что без отца — никуда. «Да? В самом деле? А как же я?» — «Вот и посмотри на себя!» Мать рыдает, рыдаю я. Отчим говорит, что справимся, что все это ерунда. Я гуляю по Минску и замечаю, что все мужчины смотрят на меня. Я продолжаю гулять, но опускаю глаза.

За две недели до срока я не выдерживаю и улетаю в Ленинград, в город, в котором никогда не была.

Знаете, все эти боксерские клубы в костелах, мосты, Нева. Я нахожу его квартиру и предъявляю себя:

— Господи, Эля, что ты здесь делаешь?! Какая собака укусила тебя? Немедленно уходи — сейчас вернется жена!

Я плачу. Я ему не нужна.

Во время взлета отходят воды. В хвостовой части самолета расстилают маты. Пассажирам приказывают молчать. Все детство на аэродромах — в самом деле, где еще, как не в самолете, я должна рожать? Если выживу, думаю я, больше ни-ни — никаких мужиков. Так тому и быть.

Мы приземляемся в Минске. Меня привозят в роддом. «Милочка, да вы счастливица!» — улыбается врач. Похоже, природа кое-что вернула мне. Я выживаю, выживает дочь. Оказывается — у меня два околоплодных пузыря — это спасает меня. Вот уж действительно: кто-кто, а счастливица именно я.

У меня нет молока. Молоко присылают из Будапешта. Я счастлива. Таня растет очень красивой. Смуглая, с длинными прямыми волосами, как когда-то у меня. Я даю ей все что могу. Мама и Саша очень помогают нам. Связи отчима помогают устроить Таню сперва в хороший детский сад, а затем и в школу. Но вот — беда...

Саша погибает в автокатастрофе. Он всегда говорил, что самое опасное в полетах — дорога в аэропорт. Так оно и есть. Саша оказался прав. Наша жизнь резко меняется. Мы вновь живем скудно, как и много лет назад. Я подрабатываю печатанием на латинской машинке. Обучаю Таню, и так, в четыре руки, мы играем тексты каждый вечер. Платят пятьдесят копеек за страницу, но мы рады и этому.

В школе Таня прилежно учится, и я верю, что она сможет поступить на актерский, но дочь удивляет меня. Она вдруг заявляет, что поступает в Политехнический, на металлургический факультет. Вот те на! Вот уж безумие. Красна девица — металлург. Смех да и только, но кто меня слушает?

Она поступает, заканчивает. Работает инженером в литейном цеху. Красота! Ездит по командировкам — привозит мужа.

Я против. Я против замужества, но не против любви. Я говорю: «Доченька, поживи!» — но она не слушает. Я понимаю, что тянуть молодую семью придется мне. А я не хочу. Ни зятя, ни внука. Я хочу спокойно пожить, но зять переезжает ко мне. Вместе с рюкзаком и развалом Союза.

Перестройка. Пороки. Предательство. Дети занимаются каким-то бизнесом. Вся страна перепродает то, что сама не производит. У Тани рождается сын. Дочь называет его Петром. Смешно. Она все время повторяет: «Дядя Петя, пора спать!» Я не люблю его. Первые лет пять точно! Я очень холодна.

Мне кажется, что вместе со своими родителями он вторгся в мою жизнь. Я хочу пожить своей. Хотя бы чуть-чуть.

Пете семь. Во дворе на него бросается бездомная собака. Она натурально разрывает его шею. Таня едва успевает спасти сына. В больнице я клянусь себе, что, если мальчик выживет, всю оставшуюся жизнь посвящу его воспитанию. Я закрываю свою жизнь — я начинаю его.

Нам везет. Спустя два месяца Петя возвращается домой. Он все ходит из комнаты в комнату и повторяет: «Петю укусила собака, Петю укусила собака...»

Он очень плохо учится. Зятю приходится устраивать учителям праздники. Я продаю украшения, но почему-то верю, что из малыша выйдет толк. У него ясная голова. Он все время рисует на листах ватмана и сочиняет истории. Одну он даже посвящает мне: «Баба Эля и ее судьба...»

Уже много лет я живу одна. Дочь с зятем уехали в Германию. Петя окончил университет в Санкт-Петербурге и перебрался в Москву. Он работает на телевидении и пишет рассказы. Год назад был опубликован его первый роман. Вчера вечером Петя позвонил мне и рассказал, что один известный журнал заказал у него рассказ. Петя сказал, что собирается написать обо мне.

ЦЫПКИН АЛЕКСАНДР

ГЕННАДИЙ ВАЛЕНТИНОВИЧ. ПРИТЧА О ЗАГАДОЧНОЙ ЖЕНСКОЙ ЛЮБВИ

Геннадий Валентинович жил не зря. Редко кто может похвастаться, что по-настоящему нужен людям, будучи всего лишь московским силовиком не бог весть какого, но все-таки полета, а не ползка. Очень часто человек его должности у россиян вызывает либо ненависть, либо равнодушие, либо страх. Иногда эти три отношения меняются местами.

Геннадия Валентиновича многие искренне любили, причем и мужчины, и женщины. Он умел помочь, когда нужно, и при этом оставался в тени. Никогда не требовал особого внимания, хорошо знал о своей роли в жизни каждого, кого он облагодетельствовал, но не напоминал о ней. Да, он иногда мог позвонить в ночи или написать своим подопечным, но это происходило в исключительных случаях, и все ему это прощали. Даже жены крышуемых им предпринимателей достаточно средней, по меркам российского «Форбс», руки. Была, правда, у Геннадия Валентиновича тайна…

Но подождите, не всё сразу.

Коля, Толя и Боря дружили давно, у каждого была традиционная для отечественной экономики смесь собственного бизнеса и управленческой позиции в госкорпорации. При таких делах очень нужен свой человек хотя бы в какой-то силовой структуре. Никогда ведь не знаешь, откуда прилетит граната, могут и бизнес прижать, а могут и в хищениях авторучек обвинить. Вот на такой случай и был у трех друзей в книжке записной телефон волшебного Геннадия Валентиновича. Как человек военный, покровитель любил не деньги, точнее не только деньги, а прежде всего уважение, которое в его понимании выражалось в личных визитах по соответствующим праздникам. Отслужил Геннадий Валентинович в трех родах войск, поэтому пил кроме Дня чекиста еще в День ВДВ и День пограничника. Прибавим Двадцать третье февраля, Девятое мая, День Конституции, День независимости, День народного единства, Седьмое ноября, Новый год, Рождество и почему-то день рождения пионерской организации. Этого секрета Геннадий Валентинович не выдавал, но все знали о его любви к дате.

Поговаривали, в юности был он влюблен в пионервожатую.

Если прибавить встречи по делам самих, так сказать, управленцев, то в год набегало около двадцати визитов к покровителю. Каждый сопровождался неким символическим и не очень подношением, а также абсолютно несимволическим возлиянием.

Самое смешное, что день рождения у солидного человека приходился на несолидное четырнадцатое февраля. Когда в Россию пришел богомерзкий День святого Валентина, Геннадий Валентинович со своим отчеством попал в достаточно комичную ситуацию. Его, настоящего генерала, друзья поздравляли валентинками с самыми нежными подписями. Он чуть ли не через Госдуму хотел провести закон о запрете праздника, но ресурса не хватило. Ходил слух, что даже на самом верху посмеивались над казусом военного. Как вы понимаете, подарки на четырнадцатое февраля покупались Колей, Толей и Борей сначала ему, а потом уже женам.

С этим они тоже смирились, как и с тем, что вечера Дня всех влюбленных жены часто проводили одни. Геннадий Валентинович отмечал «ДР» не каждый год, но если уж праздновал, то масштабно. Правда, чисто в мужской компании. Жена Геннадия Валентиновича была строга и боролась с его пьянством, поэтому в один прекрасный день ее просто отстранили от участия в праздниках, чтобы гости не слышали бесконечное: «Гена, хватит, у тебя же сердце».

Иными словами, Геннадий Валентинович был незримым членом семьи трех друзей, жены передавали ему привет и безделушки из поездок, он им — цветы в дни рождения. Не пропускал никогда.

Еще Геннадий Валентинович был образцовым приверженцем семейных ценностей. Коля, Толя и Боря рассказывали, как генерал учит их уважать брак. Сам он женился лейтенантом и развод считал событием невозможным. Друзья делились с супругами архаичными воззрениями их учителя, посмеивались над ним, а вот жены на своих девичьих посиделках втайне надеялись, что влияние и авторитет силовика не даст их мужьям вести себя неприлично и, уж точно, думать о разводе. Женщины любят военных, а уж семейноориентированных тем более. Каждый раз, когда жены видели, что звонит Геннадий Валентинович, они расплывались в улыбке и махали в телефон рукой.

Надо сказать, дело свое товарищ генерал знал хорошо. Он понимал, что не валютой единой сыт обыватель. Помогал и с устройством в нужные школы, и в нахождении правильного врача. Даже маму одной из жен помог похоронить на достойном уважаемого человека кладбище.

Не случайно в Новый год один из первых тостов в семьях Толи, Коли и Бори был всегда за здоровье и долголетие Геннадия Валентиновича.

Все было хорошо в судьбе российского силовика, за исключением одного не самого значимого, но все-таки дефекта. Пустяк, скажете, но все равно неприятно.

Геннадий Валентинович не имел тела.

Все у него было: судьба, должность, праздники, жена, дети, начальство, подчиненные, даже завистники и враги, а вот тела не было.

Он был, как бы это помягче выразиться, фантомом. Геннадием Валентиновичем Боря, Коля и Толя давно договорились записывать в своих телефонах любовниц. Пришлось придумать ему жизнь, которая со временем обросла самыми яркими, а главное удобными подробностями. Ну вот, разве не гениально было родить Геннадия Валентиновича четырнадцатого февраля и иметь возможность всем троим легитимно отсутствовать до утра в такой важный для любвеобильного человека день? А три рода войск и день пионерии? А прочие радости?

И самое главное — все три жены знали же о благодетеле Геннадии Валентиновиче, Человеке с большой буквы. Звонит в полночь телефон у мужа, он его даже не убирает с дивана, понятно же, что Геннадий Валентинович беспокоит по делу важному, особенно если выйти и вернуться с каменным лицом, а потом набрать друга и сказать: «Тебе уже звонил? Да, сказал про проверку, надо что-то решать завтра будет». Ну какая жена будет выступать против таких звонков, тем более, если на девичниках только о Геннадии Валентиновиче и разговоры? Менялись пассии, а вот имя святое оставалось в телефоне всегда.

И вот как-то накануне Четырнадцатого февраля Боря ужинает с женой.

— Как будете генерала завтра поздравлять?

— Позвоним. В этом году Геннадий Валентинович решил всех пощадить. Сказал, отметит с женой и детьми.

Так совпало, что у Бори и Толи происходила плановая смена состава, поздравлять особо было еще некого — инвестиции в подарки мужчины начинали после трехмесячного тест-драйва. Колю уговорили поддержать компанию.

— Так что завтра пойдем с тобой в ресторан.

— Слушай, Борь, один вопрос меня только волнует последнее время.

— Какой?

— А почему именно Геннадий Валентинович?

— Что «почему»?

Боря спросил легкомысленно, не отвлекался от пасты с креветками и пытался завернуть морепродукт в спагетти.

— Ну почему вы для своих любовниц выбрали именно такое имя? Почему не Иван Петрович или Петр Иванович... Кто придумал?

Боря машинально продолжал крутить вилкой, и капли соуса летели ему на рубашку. Глаза он поднять боялся. Слишком сильным был удар в солнечное сплетение. Жена спросила его настолько ровным голосом, как будто речь шла об имени собаки его сестры. Она спокойно налила себе бокал вина и продолжила:

— Да не переживай ты так. Нет, мне правда интересно, ведь кто-то же придумал это. Вообще, конечно, талантливо, и про день рождения Четырнадцатое февраля, и про помощь родственникам нашим. То есть вы даже жертвовали заслуженной нашей благодарностью и все лавры отдавали ему. Шедевр. МХАТ. Кстати, мне даже приятно, что ты мои чувства оберегал. Это сегодня редкость. Обнаглели все вконец.

Боря со школы не испытывал такой странной смеси стыда, страха и растерянности, поэтому задал, наверное, самый глупый и не самый своевременный вопрос.

— А как ты узнала?..

Ира усмехнулась

— Да, действительно, сейчас это самое важное. Хорошо, давай обмен секретами. Ты мне говоришь, почему Геннадий Валентинович, а я тебе, откуда я все узнала.

Боря наконец посмотрел жене в глаза. В них была отстраненность и теплая печаль, на какой-то момент ему даже показалось, что это не печаль, а равнодушие.

— Коля придумал лет десять назад, когда телефон какой-то девицы записал на обратной стороне визитки реального Геннадия Валентиновича. Жена визитку нашла, когда пиджак в химчистку относила, ну и спросила, нужна ли ему карточка Геннадия Валентиновича. Так он и появился. Прости. Я даже не знаю, что сказать...

— А чего тут говорить, ничего удивительного. Слушай, извини, а любовь ко дню пионерии откуда взяли? Пионерок вроде сейчас нет, или вы по старым запасам решили пройтись?

— Толя наряжал свою телку одну пионеркой.

Боря был так раздавлен, что сливал всех подряд.

— Смешно, хорошо хоть не октябренком. Ну ладно, секретом на секрет. Есть версии, кстати, у тебя?

Боря из транса не выходил, поэтому отвечал, как на уроке.

— Позвонила, а там женский голос? Телефон пробила? Телки сдали?

— Я не унижаюсь слежкой, а женщинам в России можно доверять. Не сдают обычно. Да все просто. Не поверишь, меня мой любовник в телефон записал Геннадием Валентиновичем, а я, как ты понимаешь, несколько изумилась. Спросила, почему именно так, он мне и сказал, что у него у всех друзей так любовницы записаны, долго смеялся, ему казалось это очень забавным. Вы же, мужчины, язык за зубами держать не умеете, хуже баб, ей-богу. Ну вот я решила перед разводом у тебя все-таки утончить, ну мало ли совпадение. А ты сразу со всем согласился.

Боря поплыл и даже пропустил пассаж о любовнике.

— То есть ты не знала наверняка...

Ира искренне улыбнулась.

— Нет, не знала.

Муж был настолько ошарашен всем калейдоскопом событий, что вместо эмоций впал в разгадку ребуса. Он пытался выстроить логическую цепочку, словно вышел из кино, которое не понял, и теперь спрашивал у жены ее версию. В его глазах застыло какое-то мальчишеское непонимание. Оно Иру даже насмешило.

— Запутался? Ну да, если бы ты не сознался сразу, я, может быть, и стала дожимать, уж больно много деталей достоверных, не ожидала, что вы так запаритесь.

— Подожди... Ты сказала «перед разводом»?

— Да, я завтра подаю на развод.

Голос стал жестким.

— Я ничего не понимаю... А если бы ты не узнала про Геннадия Валентиновича, то почему ты подала бы на развод?

Борино лицо выражало максимальную степень непонимания.

— Потому, что я тебя разлюбила, ну и мне кажется, что полюбила другого. Не хочу проверять, будучи замужем. Я уже давно решила, просто Новый год, каникулы, не до того было. Что ты застыл? Это вы, мужчины, уходите к кому-то, а мы чаще от кого-то. Меня Геннадием Валентиновичем почти год назад назвали, если бы мне было это настолько важно, я бы уже тогда тебя спросила.

— В смысле разлюбила?

Слова Боря осознал, а содержание нет, поэтому зацепился за самое понятное.

— В прямом...Борь, ты пойми, я ухожу не потому, что у тебя есть любовницы. Ты как-то перестал быть для меня мужем и мужчиной. Ты просто остался хорошим человеком, а этого так мало...так мало.

Боря постепенно начал осознавать всю происходящую катастрофу, но продолжал свое: «Что? Где? Когда?»

— А ты уходишь к тому, кто назвал тебя Геннадием Валентиновичем?

Ира вздохнула.

— Вот я поэтому и ухожу, что ты задаешь такой пошлый вопрос, зная меня вроде бы десять лет. Неужели ты думаешь, я хотя бы день тогда прожила под таким именем в чужом телефоне. Я не ханжа, но все-таки. Да, вот еще, не переживай, твоих друзей я женам не сдам. Пусть Геннадий Валентинович живет долго, хороший мужик, цельный, с понятиями.

КАВЫЧКИ

Как-то я запил в конце девяностых. Пошел «дцатый лонгайленд». Прекрасный коктейль. Ничего не понимаешь, когда пьешь. Ничего не понимаешь, когда приходишь в себя через пару дней. В общем, мне было тепло. Рядом обнаружился человек. Разболтались.

Выяснилось, что он еще ребенком уехал в Израиль, но теперь часто наведывается. Я, разумеется, сразу вспомнил историю на тему эмиграции и заплетающимся языком поделился. Текст был приблизительно такой...

Конец восьмидесятых. СССР очевидно разваливается, будущее от этого неочевидно. Граждане семиты, натуральные и фальшивые, уезжают. Власти, разумно полагая, что евреям кроме мозгов с собой ничего не нужно, несколько ограничивают возможности вывоза всего, что можно ТАМ как-то продать. Валюта меняется только на срок в камере, и поэтому уезжающие пытаются взять хоть что-то для натурального обмена по прибытии. Это сейчас все смешным кажется, а тогда отнюдь. Состоявшиеся, зрелые люди уезжали в нищету и неизвестность. Но, как всегда бывало с избранным народом, изощренность властей всегда проигрывала рискованности и таланту. Чего только и как только не везли контрабандой... Наиболее примитивным решением было экспортировать в чемодане черную икру. Таможня разрешала брать с собой две банки (может, больше, но не суть) и поэтому, если находила сверх лимита, за отсутствием тогда модных нынче печей, тупо конфисковала.

Разумеется, потом эта «еврейская икра» таможенниками продавалась. Отцовский приятель, будучи пойманным, икру не сдал. Он, глядя в лицо подсчитавшему прибыль вымогателю в погонах, открыл синие банки и съел на глазах у общественности все, что можно было съесть. В самолете ему стало дурно, и он таки вернул икру родному государству, но в непригодном для продажи виде. Случай с ним разошелся по тусовке отъезжающих, но тем не менее с икрой стали аккуратнее. Однако один из рисковых парней как-то замотал в одежду лишние консервы и попытался их вывезти. Не вышло. Чуть ли не пять банок было найдено доблестным сотрудником. Ожидался очередной сеанс уничтожения санкционной еды. Но горе-контрабандист рисковать здоровьем не стал. Он стал просить разрешить ему в виде исключения все взять с собой, так как реально, чем там жить, он не знал. Просил по-человечески. Таможенник сказал, что еврею побыть нищим не помешает. С каждым словом иммигрант унижался все больше, а чиновник давил его со всей сладостью власть имущего.

Наконец, слабый сдался. Он с тоской посмотрел на символ родины и попрощался:

— Забирай, смотри не подавись.

— Вали давай,— отрезал антиверещагин,— а то я еще все твои конверты проверять начну, что ни чемодан, то почтовый вагон. Кому вы там все пишете, не лень ведь!

Через два дня таможеннику сломали нос и выбили два зуба. Несчастный отъезжающий оказался достаточно известным в Питере мошенником, он договорился на рыбзаводе и сделал лимитированную версию особой черной икры. Жестянка правильная, а внутри «заморская» баклажанная. Таможенник открывать ничего не стал, а традиционно продал каким-то спекулянтам. Шутки они не поняли.

Нищий провез в той ходке несколько каратных камней. Его же не обыскивали после унижения с икрой.

Мой собеседник рассмеялся, но потом как-то вдруг погрустнел. Спросил, хочу ли я услышать его историю про иммиграцию и письма, не такую смешную, конечно, но искреннюю. Я помню, как он ее начал…

— Ты вот не понимаешь, а в семидесятые уезжали навсегда.

Это очень страшное и какое-то чужое для нынешнего времени словосочетание. Уезжать навсегда. Вот представьте, что вы решили поучиться в Америке, забегаете привычно к бабушке, что-то там болтаете про излишнюю полезность заокеанских наук, про новый опыт, а на ней лица нет. Смотрит на вас, как будто напиться вами хочет, и стареет прямо на глазах. Она знает, что больше никогда вас не увидит. Никогда. Да и вам от этого пусто и холодно вдруг становится. Невыносимо пусто. Невыносимо холодно.

Просто посмотрите сейчас на близкого вам человека. Вы все поймете. Даже в тюрьме разрешены свидания, и у большинства есть право когда-нибудь вернуться домой. У тех, кто эмигрировал из СССР, не было ни прав, ни надежд. Поэтому старались уезжать семьями и поколениями.

Драмы при такой бесчеловечной системе были неизбежны.

София Яковлевна решила остаться. Ее сын Миша с женой Таней решили иначе. Пятнадцатилетнего внука Ленечку, которого вырастила именно баба Соня, особо никто не спрашивал, может и к лучшему, нельзя ребенку предлагать такой выбор.

Не выдержит.

Почему она осталась? Из-за дедушки Коли. Она его любила, а он уезжать не хотел. Воспитав Мишу как родного, он, разумеется, евреем от этого не стал, хотя несколько раз усердно начищал ноздри всем, кто только подумывал сказать «жидовская морда» в адрес любого из членов его новой семьи.

Дед Коля, кстати, не был истовым большевиком, скорее наоборот, и к отъезду Миши с Таней относился без злости, но с горечью. Своих детей у него было двое, но, как часто это бывает, если любишь женщину всем своим внутренним миром, то и ее детей постепенно начинаешь любить точно так же неуемно и безгранично, иногда даже больше, чем своих, но рожденных от нелюбимого человека. Ну а уж Ленечка... Ленечка так вообще был для него родным.

Когда вокруг начали уезжать, дед Коля вспомнил, как на войне попал под артобстрел и остался живой один из взвода. Каждый летящий снаряд он ждал тогда как последний. Каждый раз, когда Миша с Таней забегали к ним в гости, он боялся, что они скажут: «Мы уезжаем». Из-за этого страха он даже несколько раз просил их не приходить, ссылаясь на болезнь. Но от осколка уйти можно, от судьбы нельзя. В тот вечер все плакали, кроме Софии Яковлевны. Точнее она плакала внутрь. Никто этого не видел.

Остальные же пытались себе доказать, что безвыходных положений не бывает, что все как-нибудь образуется, врали себе отчаянно. Только по-настоящему смелые люди смотрят правде прямо в зрачки. Смотрят до тех пор, пока либо правда, либо они не отводят глаза в сторону.

Миша, Таня и Ленечка уехали. Дед Коля долго смотрел вслед самолету, как будто надеясь, что тот развернется, а Ленечка смотрел в иллюминатор. Он сразу попросил родителей называть его теперь Леня.

Полетели письма. Власть тогда сделала все, чтобы отрезать людей друг от друга, и даже телефонный звонок за рубеж становился огромной проблемой. Из дома Тель-Авив не наберешь. Специальное место, специальное время — молодым-то сложно, а уж старикам... Значит — письма. Длинные и короткие, теплые и холодные, редкие и частые. Сколько же жизней проживали люди по разные стороны границы в этих листках бумаги, отправленных из одного пожизненного заключения в другое.

Слезы внутрь это самый сильный яд. Через три года София Яковлевна заболела. Солнце перед закатом особенно быстро бежит по небу. Миша как раз в это же время сломал руку, и так неудачно, что письма мог печатать теперь только на машинке.

Каждый раз в письме извинялся, что никак они не могут созвониться, он работал в каком-то пригороде и дома появлялся только на выходных, и то нечасто. Да и София Яковлевна уже не в силах была ходить на телефонную станцию. Так что только строчки и буквы. Она и читать-то уже не всегда могла, больше слушала деда Колю в роли израильского информбюро. Хранила баба Соня письма на тумбочке у кровати, иногда возьмет в руки и спит с ними. Так и умерла с листками в высохшей ладони.

Дед Коля тогда все-таки дошел до телефонной станции и позвонил. Ленечка ему опять ничего не сказал. Не смог.

Его папа не сломал руку, он по глупости утонул в январском море шесть месяцев назад, как раз когда бабушка вдруг заболела. Сказать бабе Соне правду сил ни у кого не было. А узнав, что ей недолго осталось, решили с мамой придумать историю про руку и про работу в пригороде. Деду Коле тоже ничего не сообщили, конечно. Ленечка стал писать за себя и печатать за отца. Через пару недель после смерти Софии Яковлевны от нее пришло последнее письмо.

Почта иногда так безжалостна.

Письмо было Ленечке. Оно застало его в армии. В нем было всего четыре предложения, написанные неровным, выдыхающимся почерком.

«Спасибо тебе, мой любимый Ленечка, за „папины“ письма. Я всегда говорила Мише, чтобы он научился у тебя писать без ошибок. Не бросайте дедушку. Он вас так любит. Бабушка».

Ленечка заплакал. Внутрь. Шла бесконечная арабо-израильская война. А на войне не плачут.

Дед Коля Ленечку дождался. Пятнадцать лет. Они оба отсидели по полной.

Ленечка извинился, что загрузил меня, и как-то незаметно исчез. А может, просто «лонгайленд» был таким забористым.

Я лишь подумал, что не хочу в СССР. Никогда.

НЕ СКАЖУ

Под Новый год случаются чудеса. Их все ждут, только вот чудеса же не всегда сбегают из добрых сказок. Кто-то же должен принять в гости чудо, которое сразу хочется вернуть владельцу. В том декабре черное выпало Павлику. Тридцатое число. В воздухе висит страх. Страх не успеть купить подарки всем своим близким. Но Павлик этим воздухом не дышал. Он знал, что можно и в феврале их подарить, никто не умрет. Главное же — внимание, а не дата.

Павлику было всего двадцать пять, а забот хватило бы на настоящий кризис среднего возраста. В реестре жизненного пути помимо зачем-то двух высших образований среднего уровня значилась работа менеджером, младшая сестра, висящая на его весьма хлипкой шее, жена, контролирующая и шею и голову, родители, считающие своим долгом быть везде, ну и, наконец, шестилетняя дочка Варя.

С Варей было особенно тяжело. Павлику казалось, что дочка сомневается в целесообразности его существования в их квартире. Точнее, не так. Павлик ощущал себя необходимым, в качестве этакого мобильного приложения, но интереса к своей душе со стороны шестилетнего ребенка не ощущал. Странные запросы, скажете? Но какие есть.

Если говорить предельно простым языком, от Вари Павлику хотелось ощущения нужности, детского тепла, привязанности, а получал он хорошее поведение и даже снисхождение. «Мама, давай купим папе три шапки, он все равно потеряет две в первый день зимы», «Мама, а сегодня в саду папе опять сказали, что он мой старший брат», «Папа, почему бабушка не любит слово „менеджер“ и говорит, чтобы я им не стала, и добавляет: „Не дай бог“». Настроение у Павлика, как вы понимаете, от этого не улучшалось. Нет, конечно, Варю он любил от этого не меньше, но себя ощущал дома каким-то... ну как лучше сказать? Нет, не чужим, просто не очень обязательным для всех существом. Есть Павлик — хорошо, нет Павлика — чего-то не хватает, но привыкнем.

И вот тут этот Новый год. Тридцатое декабря. Вечер. Хороший семейный вечер, то есть еда и четыре слова за два часа совместного проведения времени.

— Убери посуду

— Хорошо, уберу.

Но вдруг Маша, посмотрев на мужа взглядом инквизитора, поинтересовалась:

— А где Варино письмо Деду Морозу? Надо же ей подарок купить, а она сказала, что отдала тебе утром, когда ты ее в сад отвозил.

Павлик, которого в школе звали Рыба за то, что он ничего не помнил, напрягся, но быстро просветлел.

— В пальто у меня во внутреннем кармане.

Вставать с дивана Павлику, забетонировавшему себя подносом с едой, было решительно лень.

Жена ушла в прихожую, но неожиданно ее голос, больше похожий на сирену, вызвал Павлика на допрос.

— Паша, иди сюда, ты мне должен кое-что объяснить.

Слово «объяснить» было произнесено так, что поднос сам взлетел и притащил Павлика в прихожую.

Маша стояла с Пашиным пальто в одной руке и милой подарочной коробочкой в другой.

— У меня только один к тебе вопрос, и он не про твою любовницу Ирочку. Я хочу знать, откуда у тебя деньги. Заработать ты их не мог, значит, ты совершил какое-то преступление, и я хочу знать, какое. И да, кстати, где все-таки Варино письмо?

Паша не понял ничего. То есть совсем. Он не знал, кто такая Ирочка, что это за коробка, где Варино письмо и что отвечать жене. Не найдя ничего лучше, чем правда, он так все и сказал.

— Ты меня за дуру считаешь? У тебя в пальто коробка с украшениями с запиской «Ирочке в Новый год». Ты ее украл, ты клептоман? И правда, где Варино письмо? Или ты, может, его поменял на коробку?

Паша, как и любой растяпа, иногда мог выдать фантастический по скорости правильный ответ на, казалось бы, неразрешимую задачу.

— Точно! Я ее поменял!

— Я тебя сейчас убью.

Маша явно была не склонна шутить. А Паша с рвением осужденного на казнь, но нашедшего улику торопливо излагал суть дела:

— Не ее я поменял, а пальто! Дай мне его! Вот видишь, это «Canali», стоит как машина, оно просто на мое похоже, я был сегодня на выставке одной, там гардероб самостоятельный, ну и прихватил, наверное. Письма поэтому нет, а коробка есть. Черт, как же ее теперь вернуть? Дорогое, наверное, украшение, человек волнуется.

Маша как будто даже разочаровалась. Уже случившийся в ее голове скандал с потенциалом на длительный сериал не прошел питчинг и был отменен. Она понимала, что Павлик прав. Утром «Canali» на нем не было, она внимательно изучила пальто и поняла, что даже цвет другой. Ревность все-таки отключает практически все части мозга, в том числе наблюдательность.

— Какой же ты болван… Ну вот как теперь ты его вернешь, ладно Варино письмо, это мы сейчас разберемся, но украшения! Я просто поражаюсь. Ну как таким можно быть, а?! Что еще в пальто было?

— Ничего, хотя нет, паспорт… вот черт! Паспорт же там!

В это время Варя вышла из своей комнаты.

— А о чем вы тут кричите?

— Ни о чем, просто папа у нас растеряша.

— А что он потерял?

— Он у нас потерял голову.

— А я думала мое письмо Деду Морозу.

— Нет, ну ты что! Письмо уже у Деда Мороза, да, Павлик?

Маша просверлила Паше взглядом лоб.

— Да, Варюш, конечно, письмо твое я передал в специальную почту Деда Мороза.

Варя с наследственным подозрением посмотрела на отца.

— Ты его не открывал?

— Нет, конечно! Ты что, ты же его заклеила.

Варя как будто поверила.

— Ну хорошо, мама, нас в садике попросили нарисовать дом Деда Мороза, помоги мне, пожалуйста.

— Конечно, лапушка. Сейчас приду.

Маша сменила ласковый голос на «Siri» и продлила Павлику арест.

— Поговорим потом.

Выудить из Вари заказ на Новый год оказалось не так просто.

— Варюш, а я хотела тебя спросить, мне так интересно, что ты у Дедушки Мороза попросила?

— Не скажу.

Варя была иногда вся в маму.

— Почему?

— Потому что нельзя. По телевизору в одной детской программе сказали, что, если хотя бы один человек узнает о том, что ты хочешь в подарок, то Дед Мороз не исполнит желание.

— Маме сказать можно.

Маша понимала, что крепость, скорее всего, не сдастся, но по инерции продолжала говорить нежным голосом. Варя посмотрела маме в глаза и сквозь частично выпавшие зубы прошипела:

— Мама, я не скажу. Никому.

Варя не сказала. Ни маме, ни папе, ни бабушке, ни вызванной тете Лиде, НИКОМУ. Маша как человек упорный и системный подошла к проблеме со всей строгостью науки, но план «Капкан» результатов не дал. Звонок на выставку не помог. Пальто Павлика было объявлено пропавшим без вести. Тридцатое катилось к закату.

Положение было отчаянным. Что дарить Варе, не знал никто, а привлеченное внимание к ненавидимому уже всеми письму лишь усугубляло ситуацию. Виновным во всех бедах был, разумеется, признан Павлик. Жена и все остальные родственники вспомнили его провалы последних лет, а также припомнили Маше ее единственный провал, а именно брак с Павликом. К Варе он вообще боялся подойти, при ней Павлика критиковали абстрактно, так чтобы не вызвать у нее подозрения, но все и всё понимали. Ситуацию решили спасти через Колю, сына общих друзей, он был старше Вари на три года и очень ей нравился. Ему всё объяснили, конечно, сообщив, что просто письмо утеряно, а нужно написать новое, что, мол, у Деда Мороза быстрая почта, и родители все в письме Дедушке объяснят, но нельзя расстраивать ребенка. Факт назначения Коли во взрослые сделал свое дело. Он вступил в сговор. В качестве легенды ему выдали следующее:

— Пойдете играть с ней в комнату, и скажешь, что, если сказать очень близкому другу и обязательно ребенку, что ты попросил у Деда Мороза, то друг тоже может написать и Дедушка послушает.

— А это правда?

Коле было всего лишь девять лет. Маша даже разозлилась, но вовремя вспомнила о возрасте соучастника.

— Ну конечно, правда! И ты обязательно напишешь!

— Хорошо.

Девочки всегда остаются девочками. Через полчаса Коля вышел из Вариной комнаты с полученной информацией.

— Щенок.

Он был настолько окрылен успехом, что ему не хватало сигареты в зубах и вальтера в руках для полноты образа Бонда, Джеймса Бонда.

Маша упала на диван.

— Щенка?! О Господи… не сказала какого?

— Нет, теть Маш.

— Ну хоть не крокодильчика. Павлик, ты понимаешь, что у нас теперь из-за тебя, повторяю, из-за тебя будет собака! Ты понимаешь, кто с ней будет гулять?!

Павлик мычал.

— Почему из-за меня?!

— А из-за кого!

Спорить он не стал.

Родственников успокоили, в срочном порядке заказали Деда Мороза, купили маломерную собаку. Все втайне надеялись, что в письме породы не было, и если что решили сослаться на слепоту Дедушки и плохой Варин почерк. Тридцать первого Варя практически не выходила из комнаты. В дверь позвонили. Варя выбежала, глаза ее горели. В дверях стоял синий костюмом и красный лицом Максим — друг Павлика. Замаскировали его достойно. Он нараспев начал процедуру:

— А где тут живет девочка Варя, письмо мне написала?

Счастливая Варя лепетала:

— Это я!

— Ну что ж, Варенька, прочел я твое письмо, очень оно мне понравилось, и решил подарить тебе в Новый год нового друга.

Аниматор вытащил из-за пазухи живой комочек.

Варя моментально разрыдалась.

— Вы все обманщики! Я писала о другом!

И в слезах убежала.

Тишина не пробивалась даже мощным дыханием Максима. Маша взяла себя в руки.

— Нас что, Коля обманул, что ли?

Она пошла в комнату к Варе. Вернулась минут через пять.

— Все совсем плохо. Коля нас не обманул, а вот она обманула Колю. Сказала, что решила проверить, есть ли Дед Мороз, а оказалось, мы все ее обманывали и просто потеряли ее письмо. Точнее папа потерял. А если не потерял, то, значит, Деда Мороза не существует.

Павлику стало очень больно. Какое-то бесконечное отчаяние охватило его душу. Абсолютная уверенность в своей бессмысленности. Дочка была его единственной надеждой на собственную нужность миру, и тут такое.

— Паш, я всегда говорила, что когда-нибудь твое разгильдяйство плохо кончится. Вот как хочешь теперь все разруливай. Я сдаюсь.

Варя к себе папу не пустила. Павлик не осмелился сознаться. Он не мог понять, что для него хуже: разочарование дочери в нем или в Дедушке Морозе, но выбрал правду.

— Варечка… это я… я…

В дверь позвонили.

Павлик открыл.

На пороге стоял Дед Мороз.

Павлик посмотрел на Максима, жующего колбасу в прихожей, снова на нового артиста и грустно сказал:

— Вы ошиблись адресом.

— Вы же Павел Мышкин.

— Да, но мы не заказывали Деда Мороза.

— Вы нет, Варя — да. А она дома?

— Вы не поняли, тут какая-то ошибка

— Ну почему же, письмо же она писала, да и пальто ваше.

Дед Мороз достал раскрытое письмо и показал на пакет.

Паша начал осознавать, что это не ошибка.

— Вы что, мое пальто нашли?!

— Надеюсь вы мое тоже, там вещь дорогая,— шепнул дедушка.

— Да, конечно!

— Но давайте сначала Варю поздравим.

Паша влетел в комнату.

— Варя, там пришел настоящий Дед Мороз! Тот был… тот не тот, в общем, Дед Мороз.

Варя вышла в прихожую. Новый Дедушка голосом от старого не отличался.

— Варя, я внимательно прочел твое письмо. Это самое лучшее письмо из всех, что я читал, а читал я много, поэтому я сам к тебе приехал. Вот как просила, дарю твоему папе скрипку, чтобы он играл.

Дедушка вернулся на лестничную клетку и принес скрипку.

Маша, Максим и Павлик заиндевели. Глаза Вари стали размером с Деда Мороза.

— Папа Паша, Варя написала мне, что однажды слышала, как ты играешь и что ты очень несчастный, потому что дома у тебя скрипки нет. Оказывается, она всем мешает. А Варя хочет, чтобы ты был счастливый.

Дед Мороз посмотрел внимательно на Машу, которая впервые за долгие годы потеряла дар своей язвительной речи.

— Так что теперь, Павел, играй сколько хочешь. Я тебе разрешаю. С Новым годом всех!

Варя кинулась Деду Морозу на шею!

— Спасибо, Дедушка! Я так верила! Папа, сыграешь мне, как тогда в переходе! И играй мне каждый день, я тебя так люблю!

Она схватила скрипку и прыгнула к Павлику.

Павлик проглотил комок в горле. Он и правда как-то шел с Варей с кружков и увидел девочку, играющую в переходе. Выпускник музыкальной школы взял инструмент и сыграл... Так сыграл, что весь шумящий поток людей застыл, как Нева зимой. Варя смотрела на замерших людей и понимала: ее папа волшебник. Настоящий.

Павлик не играл давно. Деньги этим было заработать невозможно, а дома звук скрипки считали вредоносным. Свою он кому-то в итоге подарил. Так все Варе и объяснил. Он не думал, что дети — это те же взрослые, просто добрые.

В полночь Павлик взял в руки скрипку и сыграл для Вари, сидящей под самой елкой. А Маша мысленно задала Деду Морозу вопрос:

— Дедушка, а что я в этом году сделала не так, чтобы сегодня получить от дочки рисунок, от мужа шапку, а от тебя бл... ежедневных теперь собаку и скрипку?!

Ее Новый год не задался. Бывает. Чудеса того стоят.

ЧЕСТНОЕ ЛЕНИНСКОЕ

Тысяча девятьсот восемьдесят четвертый год. В одной из школ города на Неве завелся музей революции. Будем честны — музейчик. Рационально верующая в большевиков директор школы Янина Сергеевна Сухарева решила организовать на третьем этаже подотчетного учреждения место для коммунистической молитвы под названием Уголок Октября. Основой экспозиции стала полноразмерная гипсовая копия товарища Ульянова, полученная Яниной Сергеевной в качестве, вы не поверите, взятки.

Цель у мзды была тривиальной. Скульптор средней руки очень хотел, чтобы его сын учился в данной школе, нашел дверь к директрисе и чуть ли не сам предложил такой оригинальный ход, как установка памятника Ленину в школе. Янина Сергеевна, женщина практичная и с фантазией, подумала, что такое идолопоклонничество выделит ее среди других директоров и точно приведет к ремонту школы или, по крайней мере, того этажа, где будет находиться статуя. Кстати, вопрос расположения вождя стал, неожиданно, камнем преткновения. Творец предложил стандартный памятник — Ленин куда-то показывает рукой.

— И в какую сторону должен показывать Владимир Ильич?

Янина Сергеевна в миру была учителем географии и решила уточнить.

— В смысле, в какую?

Скульптор был в миру дурак и тоже решил уточнить.

— Ну, на север, на юг или, не знаю, на восток может быть? Надеюсь, не на запад.

Маэстро подвис.

— А это имеет значение?

— А это я вас спрашиваю, Иван Дмитриевич. Вы же их много уже сделали. Должна же быть какая-то логика. Вот я слышала, мечеть и церковь строят в зависимости от сторон света. Может, с Лениным так же? Может, он должен всегда показывать на Зимний дворец. Знаете, не хотелось бы ошибиться. Могут же понимающие люди заглянуть.

— Давайте спросим у кого-нибудь.

— У кого? Вы хотите, чтобы я, директор одной из лучших школ города Ленина, кому-то дала понять, что не знаю такого общеизвестного факта?

Тучи над будущим сына скульптора начали сгущаться, но выход был найден.

— Я знаю, что делать! Можно его поставить на крутящуюся подставку и...

Янина Сергеевна скептически посмотрела на заботливого отца и поняла, что если генетика существует, то новый ученик за места на олимпиадах бороться не будет. Стало очевидно — взяточник может только лепить. Думать ему противопоказано.

— Вы предлагаете из Ленина сделать флюгер или карусель?

— Нет, я просто подумал... а давайте...

— Давайте без «давайте».

Янина Сергеевна взяла инициативу в свои руки.

— Вы можете сделать Ленина без указывающей руки?

— Как без руки? Совсем?

Глядя на идиота, директор школы начала гордиться своими учениками, которые казались ей до этого непроходимыми тупицами.

— Нет, разумеется. С руками, но пусть их он держит в карманах. Так избежим любых вопросов. Смотреть он, я надеюсь, может куда угодно. Сможете?

— Да, конечно!

Восхищению скульптора не было предела.

Пока лепили Ильича, Янина Сергеевна насобирала еще каких-то артефактов, например, газету «Правда» от седьмого ноября тысяча девятьсот тридцать седьмого года, день двадцатилетия революции, и организовала экспозицию. В последующем, кстати, газету убрали.

Учитель истории на торжественном приеме в школьной столовой, закусывая компот с водкой винегретом с винегретом, порадовал Янину Сергеевну тем фактом, что именно в тысяча девятьсот тридцать седьмом году почти все организаторы революции принудительно отправились строем в мир иной. Их расстреляли как врагов народа. Ну, с революциями всегда такая неразбериха в итоге получается. Лучше не начинать.

Янина Сергеевна, наслушавшись, газетку от греха выменяла на... да-да, на копченую колбасу у какого-то товароведа-коллекционера.

Но это все мелочи. Главное, что памятник В. И. Ленину занял свое место в просторной школьной рекреации, справа и слева от него поставили большие горшки с цветами, вменив учителям, преподающим на этом этаже, следить за их поливанием. Те перепоручили все школьникам старших классов, далее задание упало к пионерам, оттуда к октябрятам, ну и, наконец, как обычно, к нянечке, убирающей за всеми. В итоге цветы регулярно засыхали. Назначались новые ответственные, но ничего не менялось, как и во всей стране.

Чаще всего гипсовый вождь видел вокруг себя лишь горшки с землей, думаю, он уже начал искать крестьян, которым бы ее отдать, но в него неожиданно прилетел резиновый мячик, и жизнь статуи развернулась на сто восемьдесят градусов.

Ленинская рекреация была значительного размера, и три семиклассника спокойно дулись в футбол после уроков, не боясь повредить статую. Но у судьбы были иные планы. Проходивший мимо громила из десятого класса, к которому прилетел мяч, со всей дури приложился и изобразил будущего Роберто Карлоса. Ракета полетела в сторону намоленного пионерами Уголка Ленина. На то он и десятиклассник, чтобы уметь испаряться, когда дело пахнет керосином. Не успел снаряд влететь в Ильича, как маг исчез. Семиклассники охнули. Статуя зашаталась. Вождь мирового пролетариата стукнулся затылком об стену и потерял голову. Без всяких Аннушек, отмечу. Пока голова летела вниз, за эти бесконечные доли секунды, футболисты стали верующими. Бог услышал детские молитвы, и голова Ленина упала в горшок с землей, да так ровно, что стала напоминать кадры из знаменитого фильма «Голова профессора Доуэля». Вождь рос из почвы весьма органично.

— Нам конец,— прервал молчание несуразный Коля по кличке Болт,— старшеклассник слился, кто он мы не видели, зато много, кто видел, что мы здесь играли. За голову Ленина нам наши оторвут. Чего делать будем?

Шесть глаз смотрели на Ильича в горшке.

— Повезло, что в горшок упал, хоть не разбился,— долговязый Костя Крынкин начал искать светлую полосу.

— Офигенно повезло! Может, пойдем прямо сейчас к Янине, сдадим целую голову, пятерку получим. Костян, какое на хрен повезло!

— Болт, ты что, тупой? Ее приклеить можно.

Крынкин вынул дедушку из так сказать клумбы, отряхнул и приставил назад. Скол был идеальным.

Петька и Болт хором выдохнули.

— Нужен клей. Побежали к трудовику!

— Дебилы, какой трудовик?! Он спросит: «Зачем клей?» или с нами пойдет, да и вообще не факт, что он у себя. Жёва нужна. Есть у кого?

— Крынкин, ты нормальный? Ты хочешь голову Ленина на жвачку приклеить?

Болт не унимался, но Костя был до предела логичен.

— Есть идеи лучше? Нет? Тогда слушай. До перемены десять минут. Здесь хоть уроков и нет, но народ будет. Пока ты там клей найдешь... На жвачке она день точно простоит, а я из дома клей завтра притащу. Вечером приклеим. У кого жёва есть?

Жёвы ни у кого не было. Но Болт почему-то мялся и смотрел в пол.

— Болт, ты чего? У тебя жёва есть и ты давать не хочешь?! — Крынкин практически кричал.

Круглолицый Болт хмуро ответил:

— Это не простая жёва. Это «Дональд».

Надо отметить, что жевательная резинка «Дональд» в советское время приравнивалась к спортивной машине сегодня. За нее продавали душу, тело и прочие человеческие активы.

— Откуда?

Двое друзей на минуту забыли про Ленина.

— Купил.

— У кого?! У Зайцева?! Ты же сказал, что у этого барыги никогда ничего не купишь.

Гриша Зайцев был настоящим анфан териблем всей школы. Хулиган, драчун и, наконец, бессовестный и беспощадный спекулянт. Папа у него работал моряком и привозил Грише всякий зарубежный яркий хлам, который, от бедности, в СССР ценили дороже золота. Много чего продал Зайцев школьникам, но ничего не было притягательнее жевательной резинки «Дональд». Я тоже до сих пор дрожу от ее запаха. А еще в ней были вкладыши, и они стоили отдельных денег. Стыдно сказать, даже у жеваной секонд-рот резинки и то была цена.

— Я Зое ее купил. Хочу гулять с ней пойти. Я две недели копил...

Парни замолчали. Чувства друга к Зое вызывали уважение, тем более все знали, что Болт из очень бедной семьи, но Крынкин набрался смелости на адекватность.

— Слушай, Болт, ты же сам сказал, если башку не прилепим, тебе не до Зои будет...

Болт огорчился еще более, но согласился.

— Ну, давайте хоть пожуем все.

Тотем разделили на троих и впали в негу. Время остановилось. Наконец Крынкин высказался.

— Ладно, хорош жевать, давайте сделаем три точки и прилепим эту голову чертову. Петька, у тебя у одного руки не из жопы. Сможешь ровно поставить?

— Давайте.

Операция прошла успешно. Голова держалась. Крынкин нежно покачал статую.

— Дедушка, ты, главное, головой не кивай, пока я клей не принесу.

В голосе Крынкина были забота и уважение.

— Валим, пацаны.

На следующее утро Янина Сергеевна привела к памятнику Владимира Михайловича Глинкина —

человека из РОНО, служебной задачей которого было копать под всех директоров. Осматривая Уголок Октября, он похлопал по плечу Янину Сергеевну, а потом не сдержался и так же фамильярно обошелся с Ильичом. Голова накренилась и рухнула. На этот раз мимо горшков. Товарищ из РОНО был атеистом. Ему никто не помог.

Янина Сергеевна стала гипсовой и мысленно подготовила приказ о колесовании сына скульптора.

— Владимир Михайлович, я вот думаю... наш скульптор начинающий, может, ошибся в расчетах.

Владимир Михайлович не зря носил свою голову. Справившись кое-как с первичным, точнее первобытным страхом и пропотев до партбилета, он осмотрел место преступления, обнаружил не только две из трех клепок из жвачки, но и обертку, которую паникеры почему-то не забрали с собой. Она валялась за горшком. Виновный начал вырисовываться. Голос Владимира Михайловича отдавал террором.

— Янина Сергеевна. Скульптор ни при чем. Это ваши ученики на днях его уронили, а скорее всего, попали чем-то, когда в футбол играли, и, думаю, что вчера, раз фантик уборщица не подмела еще. Ну на жевательную резинку прилепили, сорванцы, а вот жвачка — это ключ к разгадке. Это не наша клубничная.

Он рассматривал фантик, как Пуаро.

— Это американский «Дональд». Странно, что они обертку обронили, торопились, наверное, что тоже о многом говорит. В общем, ищите, Янина Сергеевна, кто Владимира Ильича обезглавил.

Последнюю фразу сыщик сказал холодно и резко.

Янина Сергеевна вспыхнула. Она не понимала, шутит ли чиновник или нет, поэтому решила на всякий случай найти преступника. Проведя опрос общественного мнения, она выяснила, что кто-то видел, как ученики вроде бы какого-то из седьмых классов вчера играли в футбол, ну а «Дональд» привел сразу к Зайцеву.

Янина Сергеевна вошла в класс.

— Зайцев, встань! Ну что, доигрался? Теперь у тебя неприятности крупные. Рассказывай, как ты Владимиру Ильичу Ленину голову отбил.

«Крынкин & С°» вжались в стулья. Зайцев был вальяжен и нагл.

— Янина Сергеевна, я не знаю, о чем вы говорите. Какая голова?

— Обычная голова, человеческая, тьфу, гипсовая, не важно. Вчера тебя видели после четвертого урока играющим в футбол рядом с памятником. А сегодня у него голова отвалилась. Судя по всему, ты ее вчера отломал и на жвачку свою мерзкую, иностранную, прилепил.

Янина Сергеевна брала Зайцева на понт. Зайцев ответил равнодушно и убийственно.

— Я не мог этого сделать, у меня алиби.

Янина Сергеевна ушла в плоский штопор. Во-первых, слово «алиби» от семиклассника она услышать не рассчитывала. Во-вторых, понт не прошел.

— Что у тебя?! — со смесью раздражения, изумления и неуверенности спросила директриса.

— Алиби. Несколько уважаемых человек могут подтвердить, что вчера меня в школе не было.

— Интересно, почему тебя не было, и кто эти уважаемые люди?

— Участковый, к примеру. Вчерашний день я провел в милиции, мне не до футбола было.

Янина Сергеевна вышла из пике, настроение ее ухудшилось до предела.

— Я не удивлена. Хорошо, об этом мы отдельно поговорим. Тогда расскажи, кому из одноклассников ты дал жвачку «Дональд».

Лицо Болта вытянулось. Он посмотрел на Зайцева и снова вспомнил о вере.

— Никому.

Зайцев был спокоен.

— Врешь! И если ты мне правду не скажешь, то будешь за всех отвечать все равно. Так что лучше скажи сам, тебе и так в нашей школе не место. С волчьим билетом вылетишь!

Неожиданно для всех зрителей, Зайцев стал серьезен, убрал вальяжность и ответственно заявил:

— Я даю честное Ленинское слово.

— Чтоб я от тебя, Зайцев, честного Ленинского не слышала, позоришь имя только!

Дальнейшая инквизиция никаких результатов не дала. Определить виновных не удалось. Зайцева помучили по пионерской линии, но не сильно. Ленина без головы убрали, скульптор начал лепить нового, что-то там затянул, потом переехал в другой район, забрал сына, затем началась перестройка и Уголок Октября умер.

Крынкин на перемене подошел к Зайцеву.

— Спасибо, что не сдал, должны мы тебе теперь.

Зайцев ответил с презрением и превосходством:

— Должны.

— Слушай, Заяц, тут такое дело, Болт жвачку для девушки купил, для Зои, он ей обещал, ты же знаешь, что у него с деньгами-то не очень, может, продашь со скидкой?

— Интересная у тебя логика, вы мне должны и при этом я еще и дешевле продавать должен. С хрена ли?

— Ну будь ты человеком, мы же в одном классе учимся, Болт не ел дня три, чтобы накопить, а у тебя этих жвачек целая коробка.

— А ты их не считай. Можешь за друга заплатить, если его тебе так жалко. Но, честно говоря, у Болта и с жвачкой шансов с бабой нет. Дебил дебилом, а еще и голодранец. Я вообще не уверен, что ему жить обязательно.

— Заяц, я понимаю, у тебя кроме денег в голове ничего нет, но ты за словами-то последи, а то я купить-то куплю, но морду тебе набью.

— Я за словами всегда слежу, Крынкин.

Костя попробовал начать потасовку, но Зайцев, принимавший участие в драках, чаще чем обедал, с трех ударов отправил его в глубокий нокаут и, уходя, пнул ногой. Жвачку Зайцев продал в итоге с наценкой, сказав, что это за моральный ущерб. Крынкин после того случая записался в секцию бокса, вошел во вкус, натренировался, через год по какому-то другому поводу как следует отметелил Зайцева, сломав ему нос и скулу, а после школы сам двинул в ВДВ, чем немало удивил своих родителей — музыканта и университетскую преподавательницу. Знали бы, кто всему виной.

Самого Зайцева через несколько лет взяли на каком-то мошенничестве. Его полгода жестоко ломали в СИЗО. Он никого не сдал.

Сел один. На шесть лет.

На суде лишь сказал, что ни в чем не виноват, что дело сфабриковано и что он дает честное ленинское. Об этом «честном ленинском» еще год все гудели. Вышел Заяц по амнистии и начал бизнес. Лихой русский бизнес. Он удался.

Прошло лет десять-двенадцать после окончания школы, поженились, разродились, развелись. На одной из встреч одноклассников Заяц принес Болту коробку «Дональд». Болт, Заяц и Петька поднялись в рекреацию, открыли коробку, напихали в рот по несколько резиновых прямоугольников, обнялись и стали жевать свое детство.

Потом достали бутылку дорогой водки, три рюмки и выпили за Костю Крынкина. Он попал на войну, хотел быть героем, но в первом же бою их роту накрыл так называемый «дружественный» огонь. Свои что-то напутали, залп и...от двух десятков мальчишек ничего не осталось. Ничего. Фрагменты тела в запаянном гробу. Это все, что получили мама и папа Кости Крынкина. Все.

Военком, смотря в сторону, сказал: «Погиб как герой».

Бандит Гриша Зайцев взял на содержание Костину жену, ребенка и его нищих родителей. Государству тогда было не до них.

Помянули, собрались уходить и тут Болт неожиданно спросил:

— Заяц, я вот до сих пор не могу понять, на фига ты тогда, соврав, сказал «честное Ленинское»? Если бы все-таки раскрылось, тебя бы Янина за одно это выгнала.

— Я не соврал.

— В смысле?

— Болт, помнишь, мне тогда Крынкин за словами сказал следить, так я за ними всегда слежу. Жив поэтому до сих пор. Я же тебе жвачку тогда ПРОДАЛ, а не просто дал. А Янина спросила, не давал ли я. Есть разница. Я и на суде тогда правду сказал, кстати. Должно быть у человека что-то святое. У меня вот Ленин. Мне папаша всегда говорил, что, если бы не Ленин, были бы всей семьей в такой жопе, а благодаря ему в люди выбились. Он каждый раз, когда американские ношеные джинсы в СССР за сто рублей продавал, за Ленина вечером пил. А ты что, Болт, думаешь, в Америке тебя кто-нибудь за «Дональд» поцеловал бы?

Болт усмехнулся, а Зайцев вздохнул:

— Такую страну потеряли, конечно, ладно, пойдем к Янине зайдем.

— Ой пойдем, она тобой так гордится, особенно после ремонта, который ты в школе отгрохал, говорит, вырастила настоящего российского купца еще и невинно осуждённого.

— Осу́жденного, Петь, осу́жденного.

ЭТЮД СПОРТИВНО-БОРДЕЛЬНЫЙ

Рано или поздно в мои рассказы о публичных домах должен был вклиниться спорт. Казалось бы, как могут переплестись игры взрослых с мячом и взрослые игры без мяча. Могут, оказывается. Результат — стрельба, полиция и плачущие жрицы любви, лишившиеся места работы. Записана история была в двухтысячных, а когда произошла, кто теперь вспомнит.

Но сначала лирическое отступление. Стеснение. Замечательное и очень человечное состояние. Как вы понимаете, без стеснения в борделе нельзя. Особенно пока он не стал тебе домом родным. Стеснение приветствует уже при в входе в подъезд.

Петербургские публичные дома средней и средненькой руки расположены в таких же средних и средненьких кирпичных домах — постройки счастливого девятнадцатого века. Почти весь двадцатый век в квартирах этого дома были коммуналки — символы СССР. Потом СССР неожиданно умер, а коммуналки выстроились в очередь на новую жизнь. Но стать борделями повезло не всем. Некоторые квадратные метры остались в состоянии «ад на гастролях», другие попали в категорию «ад на ремонте», ну и какие-то переродились в отдельные квартиры. В итоге сам дом становился коммунальным. На разных этажах одной лестницы мог жить авторитетный предприниматель, продавщица овощного, студенческая пара, арендующая комнату у какой-нибудь бабули, иностранец, которому впарили квартиру Лермонтова, и именно в ней он стрелялся с Андреем Болконским, обязательный алкоголик, заливающий всех без разбору, и, наконец, десяток проституток в уютной атмосфере постсоветской причудливой роскоши квартиры «номер 8».

Все жильцы не идиоты и знают, что квартира «номер 8» — это не школа ораторского мастерства, хотя близка по духу. Более того, клиент квартиры «номер 8» тоже понимает, что если он стоит у двери, а с верхнего этажа идет бабушка с авоськой, то она в курсе, зачем он здесь: «Паскуда похотливая, кобель бесстыжий». Особо малахольные начинают паниковать, изображать работника собеса или агитатора на выборах. Спрашивать: «В этой ли квартире находится музей кактусов имени Фрунзе?» Но бабку обмануть можно. Авоську нельзя. Авоська смотрит прямо тебе в душу и спрашивает: «То есть с женой мы не можем, с женой у нас только двадцать девятого февраля, скотина эгоистичная, а ей каково?»

Ну а если покупатель любви невезучий и напарывается на алкаша, то вообще можно аневризму приобрести. Он же сразу начинает орать на весь подъезд: «Ну что, трахаться пришел, а мне бухнуть не на что». Шантажист получает либо в рупор, либо деньги. Моментально. За годы работы он выучил, от кого что ожидать, и вычисляет трусливо-милосердных по шагам.

После парочки таких столкновений посетители притона начинают стесняться еще накануне, зайдя в булочную. Им кажется, что даже рулет с маком догадывается, куда этот фрукт в костюме завтра в пять собрался. Что уж говорить о прохожих на улице в непосредственной близости от заветной квартиры и тем более о жильцах. Очень это все стеснительно и не продумано.

Тем не менее некоторые до искомого будуара доползают. Им открывают двери, предварительно изучив в электроглазок. Девушки стараются тоже взглянуть, кто пожаловал, а то ведь город маленький. К одной работнице умудрился попасть ее же бывший однокурсник. Сидели час. В итоге ушли оба. Она в слезах. Забрал, говорят.

Но и видеоконтроль можно пройти. Оказываешься в прихожей. Иногда, конечно, бывают логистические конфузы. Уходящий и приходящий клиент встречаются в дверях. Новички пытаются прикинуться обоями. Бывалые шутят: «В команде „Зенит" замена».

Затем конвейер отправляет страждущих в гостиную, где все события этого боевика и разворачивались. Однажды осенью на «шикарном» диване дома свиданий у станции метро «Чернышевская» оказались задницы двоих москвичей. Они закончили все свои столичные дела, собрались в аэропорт, но неожиданно воспылали страстью. Абстрактной. Безадресной. Покопались в Интернете и нашли, где с этим вопросом разбираются. Стеснений не испытали, квест прошли.

Сидят в гостиной, ждут, когда перед ними продефилируют нимфы, свободные в данное время. В эту секунду московский черт нашептал гостям включить телевизор. Показывали футбол. Последние три минуты матча между «Зенитом» и «Спартаком». Потребители платной любви попросили дать им досмотреть игру и впились в экран. Дело к ничьей, но на последней минуте питерские футболисты недоглядели и пропустили. Московские болельщики не подумали, в каком они городе, и бурно стали праздновать победу, параллельно забыв, зачем они пришли. Неожиданно в глубине борделя тревожно хлопнула дверь и в коридоре послышались медленные, но тяжелые шаги. Москвичи всегда знают, когда идет он. Неповторимый, трогательный и неотвратимый русский пиздец. Чувствовать его первыми — уникальный дар столичных жителей. Гости поняли, что каменный гость топает к ним и что речь пойдет не о любви.

Коля Башня вошел в гостиную борделя в черных спортивных штанах, костюмной белой рубашке, тоскующей по утюгу, резиновых тапках на одну босую ногу, другую в носке. В руках у Коли был пистолет, в глазах — тоска, алкоголь и жажда. Жажда событий.

Коля жил в публичном доме уже третью неделю и прошел все стадии семейной жизни.

Безудержный секс, секс по расписанию, увиливание от секса, ненависть к сексу, пьянство, футбол.

Те же стадии он прошел сначала за три года с женой, потом за год с любовницей, и когда судьба упекла его в храм разврата на неопределенный срок, дао повторился, Коля отчаялся. Отмечу, что находился он в борделе по весьма прозаичной причине. Его хотели убить, и он прятался.

Коля Башня, бандит средней руки, не рассчитал прыжок в финансовое будущее и падал. За ним летели на истребителях кредиторы и неубитые конкуренты. Добрые люди сказали ему залечь на дно немедленно, где бы он сейчас ни находился, потому что хвост висел на Коле, как бобровый воротник на шубе Шаляпина. В момент того звонка Коля лежал на моральном дне, а именно на Кристине и Карине, если быть до конца точными, то между ними. Телефон сообщил, что выходить из борделя Коле не следует. Возможно, никогда, но точно — ближайшие пару недель. Как он провел их, мы знаем. Безудержный секс с неограниченным количеством партнерш скатился в безудержный просмотр футбола. Он все время переключался с испанской лиги на российскую, выдерживал полчаса, ощущал безнадежность, отхлебывал из горлышка ближайшей бутылки и проводил параллели со своей жизнью. Коля Башня понимал, что его существование — это отечественный футбол. Деньги вроде есть, но он никому не интересен. Заработки шальные, и детям особо нечего рассказать о нем в школе. Настроение от этого не улучшалось, но оставался патриотизм городского масштаба.

«Зенит» Коля любил. Очень. Всем упитым нутром, уставшим от четырех стен, погони и бесчувственного секса. Коля желал победы любимой команде. Особенно в борьбе с ненавистными москвичами (заказали Колю тоже люди с внутренней стороны Садового кольца). Поэтому, услышав победный вой из гостиной борделя, Коля Башня остался просто Башней, встал с нар, достал пистолет, загнал патроны в патронник, поленился натянуть носок и открыл дверь в новое будущее.

— Раздевайтесь.

Дуло уперлось в потный лоб одного из гостей Северной столицы.

— Зачем? — дребезжащим голосом поинтересовался второй.

— Трахаться будете. Вы же за этим пришли.

— С кем?

— Друг с другом.

Москвичи застыли. Коля дважды выстрелил в потолок. Управделами борделя влетела в комнату:

— Коля, ты что делаешь?! Сейчас менты приедут!

— Приедут.

— Тебя же заберут, а там или комаровские, или, как их, из Москвы, тебя найдут!

— Найдут.

Жизнь Коле разонравилась окончательно, и ему стало все равно.

— Раздевайтесь.

Коля направил ствол на дрожащее колено одного из болельщиков.

Через двадцать восемь секунд два дряблых тридцатипятилетних обнаженных тела стояли у дешевого рояля, с помощью которого в будуаре периодически устраивали караоке. Коля выкинул одежду в открытое окно.

— Ну давайте. Говорят, вы в Москве все это умеете.

Коля вложил в это «умеете» все презрение настоящего ленинградского гопника к ненавистному городу.

Парни из Белокаменной были обычными менеджерами, о пистолетах только читали, на футбол ходили раз в год и то в ложу, но русского человека нельзя прижимать к стене. Особенно при дамах.

Один из нудистов посмотрел в Колины мутные глаза и голосом партизана, идущего на расстрел, отрезал: «Трахаться не буду. „Спартак“ — чемпион». Коля медленно поднял пистолет на уровень глаз своего визави, но между ним и смелым красно-белым встала управделами борделя и со слезами на глазах спасла сразу четыре жизни в этом салоне, включая свою.

— Не надо, Коленька. Не надо... Я тебя только полюбила. Не губи себя и мальчиков, они вон смелые оказались.

Коля пистолет не опускал. Управделами срочно начала работать мистером Вульфом. Менты были свои, разумеется, но вызов проигнорировать не могли, и, значит, минут через пять их можно было ожидать. Одежду москвичей уже выбросили, и пришлось импровизировать. Единственного клиента срочно выпроводили, сказав, что грядет облава. Ствол спрятали. Носок на Колю надели. Обнаженным, так сказать, фанатам объяснили, что выход один — либо заткнуться и слушать режиссера, либо уехать с милицией в качестве потерпевших, но потом все будут знать, где и в каком состоянии их взяли. Артисты согласились. Столичным франтам заклеили на всякий случай скотчем рты и розовыми наручниками приковали к батарее.

В дверь постучали.

— Вы тут чего, совсем охренели? Лариса, что за пальба?

Управделами приступила к выполнению служебных обязанностей.

— Это не пальба — это фейерверк.

— В честь чего?

— У меня свадьба! Вот жених — Николай. Он в белой рубашке по случаю праздника.

— Поздравляю! А эти два почему голые и к батарее прикованы?

— BDSM.

— Чо?

— Ну, типа кукольного театра для взрослых.

— Кукольный театр, говоришь? А кто Карабас-Барабас?

Женщина вошла в роль, взяла плетку и игриво дала показания.

— Я, но не Карабас, а Госпожа. Не волнуйтесь, никакого насилия, просто маскарад в честь праздника.

— А куклам нравится?

Мент посмотрел на участников мапет-шоу, на плетку в руках управделами, потом на фаллоимитатор, стоявший на рояле. Лариса училась на театрального режиссера, любила художественную достоверность и за пять минут собрала декорации.

— Нравится, я спрашиваю?

Куклы усердно закивали.

— Пиздец, что в стране творится,— стал сокрушаться капитан милиции.— Ладно, сейчас комнаты проверим — и поехали отсюда.

Кроме девушек в борделе никого не было, и наряд не стал задерживаться.

— Лариса, мы на субботник к вам в среду. И можно без этого вашего ВЛКСМ?

— BDSM.

— Ну да, без него. По старинке.

Коля отсиделся в борделе и открыл с Ларисой спортивный бар.

«Спартак» в том сезоне что-то выиграл.

РЖД БЕГЛЕЦ

Дело, как говорят, было в восьмидесятых.

Как вы знаете, поезда иногда останавливаются. Граждане выходят посмотреть на перегон, перекреститься, что живут в городе, а не на этом пустыре, или, наоборот, взгрустнуть насчет суетности мегаполиса и очарования провинциального неспешного бытия. Также все по традиции ждут бабушек с пирожками или детей с квасом. Приходят теперь все чаще бабушки с пепси и дети со сникерсами. Тем не менее есть один момент, всех объединяющий. Время стоянки. Это как часы Золушки. Три минуты, тридцать минут — не важно.

Секунда опоздания и стоишь в тапках на морозе, смотришь в хвост уходящего поезда, а сам превращаешься в ледяную тыкву. Таких тыкв не пересчитаешь, разумеется. Но речь сейчас не о них, а о мастере ситуации. Итак, мужчина ехал, не скажу откуда и куда. Засел к проводнице и излился тоской. Возвращался из командировки домой к супруге, по его словам женщине трогательной, но удушающей. Заела мужа до крошек. Залюбила. Зазаботила. Так бывает. И вот остановка. Даже с каким-то вокзальчиком, на который можно метнуться в буфет. Дэдлайн — десять минут. Проходит пять. Пассажир возвращается. Мечется. Обращается к проводнице:

— Простите, вам ведь можно доверять?

— Можно.

— Я в буфете друзей нашел. Останусь на этой станции. Все вещи передайте жене, она меня встречать будет. Паспорт в пальто — вы уж сберегите. Я его брать не буду, чтобы, пока она мне его пришлет сюда, хотя бы дня два-три прошло. А куда я без паспорта отсюда уеду? Деньги тоже в кармане пальто. Я немного возьму, вот вам, кстати, на Восьмое марта.

— Оно через полгода, и не надо мне денег, я и так вас не сдам, вы же домой потом вернетесь?

— Конечно! Я просто дух переведу! Я жену люблю, просто... ну... вы понимаете. Портфель мой тоже сохраните, пожалуйста, там бумаги кое-какие по работе.

Дело было в восьмидесятых, и тогда о терроризме особо никто не знал, поэтому и посылки передавали, и к таким ситуациям спокойно относились — что там у командировочного может быть в вещах? Сейчас, наверное, в таких случаях багаж с поезда снимают. Интересно, кстати, надо узнать. Проводница все проверила тем не менее, и мужика заботливо выпроводила.

— Идите уже, а то не успеете, скоро поедем, и смотрите, вы мне обещали!

— Честное слово! Сам к вам приеду на вокзал, вы же все время на этом поезде, значит, найду вас.

Пройдоха забежал в купе, вернулся, собрался выйти, но был остановлен бдительной проводницей.

— Вы совсем, конечно, непутевый. Вырядились как в ЗАГС. Снимите рубашку и брюки. Останьтесь в пиджаке на майку и тренировочных. Пиджак, майка, тренировочные и ботинки. От поезда только так отстают. У вас жена же не дура.

Обалдевший Штирлиц исполнил приказание. Через пару недель беглец явился к поезду уже по месту окончательного прибытия, отыскал проводницу, подарил букет, конфеты, сказал, что это были лучшие дни за долгие годы: жил он у новых друзей в сельском доме, питался, как в раю, спал, как ребенок, у деревенских женщин вызвал живой интерес, хотя и не воспользовался им, за что его особенно зауважали и немедленно предложили работу в местном колхозе (он им там еще и что-то пересчитал грамотно), подрался один раз. Через четыре дня жена сама привезла ему паспорт и деньги. Встречал ее на станции вместе с новыми друзьями. Все уговаривали их переехать. Не уговорили.

Я у проводницы, женщины мудрой и рассудительной, спросил:

— Как думаете, почему она ему помогла?

— Из женской солидарности».

— Как это?

— Ну, поняла, наверное, что если этому мужику выдохнуть не дать, то наломает дров, хуже будет, сбежит еще, не дай бог, а так пожил в деревне, соскучился по дому и успокоился, да и для здоровья полезно».

Как же далеко от нас те времена тихого угасания СССР. Мрачные, скудные, несвободные, но при этом в чем-то более человечные и простые, чем наши. Хотя, может, всего лишь в том, что о любом «бывшем» или «бывшей» через какое-то время после расставания вспоминаешь только хорошее. О «бывшей» своей стране тоже.

МАДО

Степа прибыл в Перу с одной целью.

Кокаин.

Маме и жене Любе он, разумеется, сообщил, что хочет наконец вылечить астму, а, дескать, в Перу — горы, разреженный воздух и прочие блага. Начальника Степа убедил в необходимости дать ему новый проект: ради повышения мотивации, а также чтобы получить опыт раскрытия закрытых чакр. Начальник плотно сидел на эзотерической ереси и во второе активно поверил. На его беду, у Степиной конторы в латиноамериканской стране и правда имелись интересы. Таким образом, под Новый год Степа оказался в Лиме.

С ним прилетело еще трое оболтусов. Один из его конторы, двое — за компанию. Цели были сопоставимы. Попробовать.

Около тридцати хорошие мальчики наконец хотят попробовать, каково это быть плохими, и это прекрасное начало верного и иногда очень трагического конца. Лучше бы им мамы объяснили, что логично идти от плохого к хорошему, а не наоборот. Но не суть.

Друзья приехали, кое-как отработали и одним вечером договорились пуститься во все тяжкие (в их понимании этого слова). Ну то есть купить где-нибудь порошок и, забаррикадировавшись в одном из номеров, что-нибудь с ним сделать. Что именно, они знали по фильмам. Оттуда же знали про наркомафию, которая убивает всех и всегда просто ради жажды убийства (а редкие живые жители этих стран пребывают в постоянном ужасе).

Степа сдружился с Карлосом.

Субтильный субъект лет двадцати пяти, исполнявший роль гида, переводчика, водителя, носильщика и шерпа. Карлос был... ну вот нет другого слова — Распиздяй. Эталонный. Классический. Его спасала только доброта. Надо отметить, исключительная. А еще Карлос иногда заикался, чего стеснялся очень. И все вместе это придавало его облику какую-то особенную трогательность.

Степа любил добрых людей и особенно им верил. Когда встал вопрос, где взять кокаин, друзья перевели стрелку на Степу.

— Степ, ну ты сам это замутил, решай теперь. Говорят, здесь у любого можно купить.

Степа с презрением всезнающего прохладно заметил:

— Здесь и ствол у любого. Тут так можно влипнуть: туристов пасут, потом подставляют и сажают. Выпускают за выкуп. За меня Люба платить не будет. Скорее заплатит, чтобы не выпустили. Надо найти надежного человека.

Друзья ожидаемо поинтересовались:

— У тебя есть?

Надежных людей в жизни Степы в принципе не было. Люба и родители не в счет. Надежные люди опасались, что Степа их заразит своей абсолютной ненадежностью. Тем не менее Степа лаконично взял новую высоту:

— Есть. Один.

Разговор с Карлосом шел лично, в лобби отеля, но по зашифрованному каналу.

— Карлос...у меня вопрос. Я хочу купить то, за чем сюда все едут.

Карлос завис.

— А з-зачем сюда в-все едут?

Карлос в сравнении с раздувшим брутальность Степой казался Малышом из Карлсона. Степа даже усмехнулся.

— Ну как зачем... за продукцией господина Эскобара, царствие ему небесное.

Малыш изумился.

— Ты сейчас серьезно?

Степа стал похож на Дона Корлеоне. Важная деталь: в России он торговал шоколадками и иногда брал деньги в долг у бабушки. Но предчувствие кокаина творит чудеса. Голос Степы был похож на звук летящего «МиГ-29».

— Мы в России шутить не привыкли. Ты сможешь достать? У вас здесь в разы дешевле и качественнее, чем в России.

Карлос замолчал, прикусил верхнюю губу и вдруг выпалил:

— Смогу… а много?

Степа глянул по сторонам и пальцами показал пять.

— Поэтому и не хотим на улице брать, только у своих. Если ты поможешь, я буду тебе очень благодарен.

Карлос задумался, пересчитал пальцы Степы, выдохнул и как-то тревожно то ли согласился, то ли предупредил:

— Хорошо… я отвезу тебя, но ты п-понимаешь, что если что-то пойдет не так, то… всем к-к-к… Все будет плохо. С-совсем.

— Конечно. Я все понимаю. Давно живу. Кое-что видел. Деньги наличными у меня с собой. Я даю слово, что все будет четко. И никто не узнает. Приехали, купили, уехали.

Степа был исключительно конкретен.

Вечером Карлос заехал за Степой. Он был с какой-то сумкой. Карлос вопросительно-утвердительно взглянул. Степа с улыбкой пояснил:

— Ну, куплю фруктов по дороге назад.

Карлос кивнул.

— Это за городом. Ехать м-минут сорок, может час.

— Не вопрос. Ты хвост проверил? — Степа из роли выплыть не мог.

— Кого?

— Ну мало ли, за нами следят. Могли разговор подслушать.

— Вроде н-никого не было. Деньги т-ты взял же?

Перуанец кивнул в сторону сумки.

— Конечно,— Степа продолжал смотреть в окно в поисках хвоста.

Отчаянные парни выехали из города и двинули по ночной практически сельской дороге.

— Мы едем к М-Мадо. Он из индейцев. Человек н-немногословный. Главное, говори ему п-п-правду. Он видит насквозь, и если ему в-врут, это обычно плохо зак-к-к-анчивается.

Карлос обнаружил первые признаки страха. Степа их тут же удвоил и понял, что вот она — проверка на мужественность. И на честность.

Они зашли в странный дом. Огромная комната, лампочка Ильича, стол. На нем кокаин в россыпь или в упаковках всех возможных форм. За столом Мадо.

Ему было за пятьдесят. Грузноватый, но исключительно мощный. Медвежьи ладони тем не менее казались чуть ли не женскими: что-то в них было заботливое. А вот глаза... Они выжигали все на что смотрели. Мадо встал из-за стола и как-то неумолимо прижал Степу взглядом к стене. Он говорил очень медленно и начал со штампа, напомнив Степе плохое кино.

— Ну здравствуй, гринго.

— Здравствуйте. Спасибо, что...

Степа не понимал, за что сказать спасибо, но мама так учила.

— Очень рад знакомству.

— А почему ты рад знакомству?

Мадо говорил на ломаном, но предельно понятном каждому живому существу английском языке. В его речи не было ни единого лишнего суффикса. Слова вылезали из горла медленно и беспощадно.

Степу как будто обвивала анаконда. Ему даже стало немного тяжело дышать. Он подумал, что может и приступ хватить на нервной почве, хорошо, что ингалятор был с ним. А Мадо продолжал:

— Не надо быть вежливым. Ты лучше ответь на вопрос. А как ты перевезешь кокаин в Россию? Мне не нужны детали, но просто, по какому каналу?

Степа сглотнул, в горле пересохло, он продребезжал:

— Я не собираюсь везти его в Россию. Вы что. Зачем?

— А что ты с ним будешь делать?

— Мы хотели с друзьями хорошо п-провести время.— Посмотрев на Карлоса, Степа сам стал заикаться.

— И сколько у тебя друзей? — в змеиных глазах Мадо сверкнуло что-то человеческое.

— Четверо.

— И как долго вы собираетесь хорошо проводить время?

— Три дня до отъезда.

Мадо подошел ближе. Голос стал ртутным.

Степа почувствовал, что сейчас кислород перестанет входить в легкие.

— Тебя предупреждали, что меня не надо обманывать и что за ложь я делаю людям очень больно?

Степе стало очень больно даже от тембра голоса. Он процедил:

— Да. Я сказал правду.

— Правду? А ты ведь познакомишь меня со своими друзьями? Я хочу посмотреть на людей, которым нужно на три дня пять килограммов кокаина.

Степа мгновенно взмок. С обреченностью в голосе он как будто сознался, а не ответил:

— Мне нужно пять граммов. Мне не нужно пять килограммов.

Мадо посмотрел на Карлоса. Карлос стал настолько бледным, насколько позволяла его латиноамериканская кожа. Нижняя челюсть медленно отвисала.

— А Карлос про это знал? Что ты ему сказал? Подумай хорошо. Вспомни. От этого многое зависит.

Степа вспомнил и по слогам произнес:

— Он спросил, много ли мне нужно, я показал пальцами пять. Мы друг друга не поняли.

— Как часто люди друг друга не понимают...

Степа увидел, как по Карлосу сползла объемная капля пота.

— Карлос, это правда?

Он кивнул.

— Ну что ж, гринго. Иди. Тебя отвезут, но так, чтобы ты нас потом не нашел. Ну а дальше пешком. Возьми палку, столько плохих людей ночью бывает.

— А Карлос? — с тревогой спросил Степа. Мадо равнодушно ответил:

— А Карлоса ты больше не увидишь. Мне кажется, ему пора поговорить с духами.

Карлос опустил голову и задрожал. Степа вышел. Его плотно взяли под руки и повели к машине. Степа сел на заднее сиденье и... начал задыхаться. Настоящий мощный приступ. Последний раз такое было с ним давно, пару лет назад. Он захрипел и начал искать в карманах ингалятор.

Его приучили всегда носить его с собой, но руки Степы не слушались, воздух заканчивался. Он вылез из машины, глотнул ночного воздуха, нащупал спасительный пластик, чуть не проглотил баллончик и рухнул на землю. Степа тонул в кислороде, пил его всем телом, приходил в себя, оживал... и вдруг острая боль. Карлос! Возможно, прямо сейчас его убивали. Из-за него, из-за его идиотизма. Степа представил, как Мадо сворачивает тонюсенькую шею мальчишки Карлоса, и понял, что либо сейчас, либо никогда.

Степа был трусом. Все детство его били в школе. Он запирался в туалете и плакал. От этого его били еще больше. Он боялся темноты, высоты, змей, пауков, он боялся всего, а тут Мадо. Но иногда жизнь не оставляет выбора. Степа оттолкнул обоих бандитов, рванул в дом, выбил дверь ногой, влетел в комнату Мадо и заорал:

— Стойте!

Мадо держал Карлоса за шею и что-то шипел на испанском. Увидев Степу, он удивленно, но очень спокойно спросил:

— Что, гринго?

— Я куплю пять килограммов.

Мадо отпустил Карлоса и с холодным любопытством посмотрел на Степу.

— У тебя есть деньги?

— Сколько это стоит?

— Шестьдесят тысяч долларов. У тебя они с собой?

Степа осунулся, но не сдавался.

— Нет, я с вашим человеком поеду в город, сниму с карты все, что есть, там... ну... тысяч восемь, остальное найду в течение трех дней. Пока оставлю у вас паспорт, а товар вообще не буду забирать. Вы ничем не рискуете.

— Что значит, не будешь забирать?

— Мне не нужно столько, просто, пожалуйста, не убивайте Карлоса. Он не виноват. Если я куплю пять килограммов, вы его отпустите? — Степа спросил с такой надеждой и надрывом, что Мадо даже улыбнулся.

Индеец подошел к Степе, долго молчал, а потом произнес:

— Гринго, я долго жил, я знаю ответы на все вопросы, а вот на этот не знаю... скажи мне... а почему... почему Карлоса все любят? Почему? Мои родители, мои дети, моя сестра, она вышла за него замуж, даже я его люблю. Но это можно объяснить. Семья. Но ты? Вот ты почему?! Ты был готов отдать столько денег за вот этого неудачника?!

Степа как будто не понял.

— Он ваш родственник?

— К несчастью, да.

— И вы все равно собирались его убить?!

Наконец Мадо вспылил. А последний раз с ним такое было до рождения Карлоса и Степы.

— А с чего ты взял, что я хотел его убить?! Я редко убиваю людей, и только если они у меня воруют, но нельзя убивать человека, если духи украли у него разум.

— А почему бы я его больше не увидел??

— А зачем?! Он бы побыл здесь до твоего отъезда. Мало ли, что ты решил бы сделать. Убить Карлоса?! Гринго, ты слишком много смотрел кино. Но ты меня удивил. Так вот ответь, почему ты решил спасти Карлоса? — Мадо вновь стал похож на удава, но теперь на доброго.

Степа не знал, что ответить, и сказал правду, которая пришла к нему, когда он задыхался.

— Я не смог бы жить, если бы Карлоса убили из-за меня.

И вдруг Степа осмелился посмотреть Мадо прямо в глаза и спросить:

— А разве вы бы бросили друга?

Мадо не ответил. Он не любил сослагательное наклонение. Мадо долго изучал Степино лицо... Степе показалось, в него смотрят тысячи глаз. Рука гирей придавила Степино плечо:

— А ты хороший человек, гринго. Постарайся не стать плохим.

Степино сердце сжалось и лопнуло. Он всегда сомневался именно в этом, самом важном для человека, критерии. Поэтому он с какой-то болью и недоверием спросил:

— А откуда... откуда вы знаете, что я хороший человек?

— Я не знаю, я вижу.— Мадо вернулся за стол и продолжил: — Гринго, скажи, а ты когда-нибудь пробовал кокаин?

— Нет, хотел вот...

— Зачем?

— Ну это же... ну, это как в Россию приехать и не попробовать водку с икрой.

— Что такое икра?

Степа как мог объяснил. Мадо был все так же тягуч:

— Аааа, слышал. Это вкусно?

— Очень.

— А вот кокаин вряд ли. Не надо. Ты умрешь, точнее ты станешь плохим человеком, а потом быстро умрешь. Молчишь? Думаешь, почему я им торгую? Нечем больше. У нас было золото, но его украли испанцы. У нас нет ничего другого. Плохо, но что делать.

— Я вас не осуждаю...

Степа понял, что хочет обязательно еще раз увидеть Мадо, посмотреть в его тысячи глаз. Там было столько всего, что он так давно искал. Там были все ответы. Он опять превратился в мальчика и задорно предложил:

— Слушайте, а приезжайте к нам в Россию. Я куплю вам пять килограммов черной икры.

— Спасибо, гринго, но боюсь,— Мадо грустно улыбнулся... боюсь не удастся. У меня мало времени осталось. Приезжай ты. Я познакомлю тебя с духами. Мне кажется, тебе есть смысл с ними поговорить. Может, ты, наконец, поверишь в то, что ты хороший человек. Только поторопись...

Степа ощутил укол куда-то в больное. Он, правда, слышал о том, как в Латинской Америке разговаривают с духами, поэтому озадачился.

— Вы же против наркотиков.

— Ты не путай вот это белое дерьмо и разговоры с духами. Приедешь?

— Приеду. Обязательно.

— Это хорошо. Карлос сейчас тебя отвезет, я с ним завтра поговорю, мне кажется, он может от тебя кое-чему научиться. И когда придет его время выбирать, каким человеком стать, плохим или хорошим, он вспомнит тебя и, может, послушает, а мне кажется, это случится очень скоро. Карлос, ты же меня услышал?

Карлос кивнул.

По дороге назад они молчали. Когда прощались, Карлос обнял Степу и держал пару минут.

— С-с-с-пасибо, Степа. Я это н-н-никок-к-к-к…

Карлос заплакал.

Степа часто вспоминал Мадо, иногда звонил Карлосу, передавал Мадо привет, но приехать как-то пока не получалось. Степа, конечно, рассказал по возвращении Любе все в деталях. Особенно про хорошего человека. Он был так счастлив от этой банальной оценки, а Люба… Люба, как ему показалось, ничего не поняла. Особенно про хорошего человека.

Так бывает, когда близкий человек вдруг не понимает чего-то очень важного. Он от этого не становится менее близким, просто иногда нужно подождать. Когда-нибудь близкий обязательно поймет. Ну или ты, наконец, поймешь, что человек — не близкий.

В тот момент Люба сказала, что Степа идиот и что если бы ему реально пришлось отдать несуществующие у них шестьдесят тысяч долларов, она бы с ним развелась из чувства самосохранения. Так что ехать снова в Перу Степа не спешил. Просто часто думал о Мадо. Индеец стал для него кем-то вроде смеси Деда Мороза и Конфуция. Степа представлял себе их встречу, как он будет трясти объемную ладонь Мадо, обнимет его, а потом они начнут есть черную икру и разговаривать с духами, и духи подтвердят Степе все что до этого говорил Мадо. В принципе, духов он представлял такими же, как Мадо, только из дыма.

А однажды ему приснился сон. Мадо приехал в Россию, почему-то в одежде каманчей из советских фильмов. Они пьют водку, закусывая икрой из бочки, Мадо принимает гостей, смотрит всем в глаза и выносит вердикт, Любе он тоже говорит, что она хороший человек, и она, наконец, понимает, о чем речь. А потом их всех даже приглашают почему-то на закрытие Олимпиады восьмидесятых, хотя Степа родился в восемьдесят втором. Они смотрят соревнования, а потом организаторы выпускают олимпийского медведя в небо, и Мадо в изумлении спрашивает:

— Интересно, с какими духами общаются люди, видевшие таких странных медведей?

Проснувшись, Степа решил набрать Карлоса, чтобы рассказать о сне и передать привет Мадо.

— Карлос, привет! Ну как у вас дела?

— Привет. Плохо.

Голос был таким холодным и бесчувственным, что Степа сразу все понял.

— Карлос... Мадо? Он жив?! С ним все в порядке?!

— Нет. Мадо убили,— спокойно и без всякого заикания произнес Карлос.

Ком в горле, как опухоль, занял все пространство. Убили Мадо... Степа пытался найти какую-то справедливость и хрипло спросил:

— Из-за наркотиков?

— Нет. Просто так. Он поехал в соседний городок, повздорил с двумя отморозками и его забили палками прямо на улице,— Карлос как будто зачитал протокол опознания.

Разорванный Степа вдруг испытал новое чувство. Оно его раньше не посещало, а сейчас как черная волна залило все внутренности, уничтожив даже боль. Ненависть. Безграничная, абсолютная, всепоглощающая ненависть. Он знал, что разорвет руками убийц Мадо, что перегрызет им горло. Степа тихо, но яростно прокряхтел:

— Их поймали?

— На следующий день

— Вы же не отдали их полиции?

— Нет, мы сами разобрались.— С жутким, еле слышимым смешком ответил Карлос.

В этот момент Степа ощутил во рту сладкий вкус. Он знал, что ответ на следующий вопрос сделает его счастливым. И чем более бесчеловечным он будет, тем сильнее будет счастье.

— Расскажи, как вы их убили?

Слово «как» было произнесено с таким упоением, что Степе самому стало на мгновение страшно.

— Степа, ты уверен, что хочешь это знать? Ты точно готов? — Карлос был, конечно, уже другим человеком, беспощадным, жестоким и неумолимым. Карлос научился ненавидеть и убивать. Трогательный, добрый Карлос из прошлой жизни умер вместе с Мадо и теми двумя, точнее, именно с теми двумя. Но новый Карлос Степе нравился гораздо больше. Степа захотел стать таким же. Он со школы хотел быть именно таким. Он их всех помнил. Всех. По именам. Поэтому он не сомневался.

— Да, готов. Говори.

— Мы их не стали убивать. Просто похоронили рядом с Мадо. В просторных гробах. Даже подушки дали. И еще кое-что в дорогу, чтобы не скучали.

Опять этот дьявольский смешок.

Опьяненный Степа спросил с одержимостью в голосе:

— Кокаин?

— Нет.

Пауза. У Степы от ожидания свело мышцы на ногах.

— Что?! Говори, что вы им положили в гроб,— вдруг он понял, что, это же так просто, как он сразу не догадался! — Карлос, скажи, что это кислород! Скажи, что вы положили им кислород.— Степа шептал с каким-то вожделением.

— Да. Кислород. Я знал, что тебе моя идея понравится. На пару часов хватило. Я сидел, слушал. Мы неглубоко закопали.

От чувства абсолютного, безграничного, всепоглощающего счастья Степа даже перестал дышать, а когда решил вдохнуть, то не смог.

Приступ. Астма.

Степа стал рвать легкие, но ничего не получалось, он лишь слышал эхо беспощадного голоса нового Карлоса: Кислород... кислород... кислород.

В глазах стало темнеть, сердце начало бешено стучать, причудился Мадо, его дом, Мадо был печален. Еще один вздох с трудом. «Ингалятор?! Блядь! Ингалятор!» Он остался в машине. Другого в квартире родителей не было. Люба только что уехала, скорая не успеет. Ноги не двигались. Степа понял, что сейчас умрет. Забавно. Карлос недавно слушал, как задыхаются его враги, а теперь вот при нем задыхается его друг. Степа уплывал, в наушнике теплился голос Карлоса.

— Так что у ребят было время подумать. Приезжай, Степа, сходим на могилу к Мадо, он, кстати, оставил тебе талисман, сказал, для разговора с духами, какой-то странный медведь, сказал, ты узнаешь. Степа? Степа? Ты здесь?

Медведь... из глаз Степы брызнул поток, он начал все смывать, абсолютно все. Закопченное окно становилось прозрачнее и прозрачнее, ненависть и месть унеслись прочь, как дома во время цунами. Мадо стоял у выхода из своей комнаты в какой-то сад. Степа захотел туда, сделал шаг, но Мадо покачал головой и закрыл перед ним дверь. Степа стал в нее ломиться, и вдруг какая-то сила рванула его назад.

Сильнейший удар по лицу заставил хрипящего Степу очнуться, над ним была Люба. В руках она держала ингалятор. У ее машины кто-то проколол колесо, и она вернулась. В Любиной сумке всегда был ингалятор для Степы. Она всегда знала, что когда-нибудь он пригодится.

На следующий день Степа купил билет и улетел в Перу. Возвращать прежнего Карлоса, пока не стало совсем поздно.

В этом его убедила Люба, которая лишь спросила, точно ли Степа хороший человек, и если да, то какого хрена он еще не летит спасать Карлоса? Степа сразу все понял.

Тем не менее, на всякий случай, она сняла с карты мужа почти все деньги.

СПИСОК ФЕДИ

Иногда приходит письмо с сайта, и ты по первым строчкам понимаешь, что не случайно. Вроде бы и нет ничего, кроме фразы: «Александр, хотел Вам кое-что рассказать в связи с одним из Ваших постов последних». Но в предлогах какая-то вибрация…

Вот очередное письмо от человека, попросившего имя его не называть, а с историей поступить по моему усмотрению.

У него был друг. С института. Как это часто бывает, с годами встречались все реже, но тем не менее пересекались регулярно. Он резко взлетел. А нам всегда сложно видеться как с теми, кто рванул наверх, так и с теми, кто рухнул. Тяжело найти общие темы, если один выбирает самолет настоящий, а другой — игрушечный ребенку, но и тот купить сможет только после зарплаты. Обоим стыдно отчего-то смотреть в глаза. Богатый чаще всего хочет либо поскорее встречу закончить, либо начинает искать, как помочь. Иногда даже что-то получается, и друг детства превращается понемногу в должника. Отдавать, как понятно, особо нечем. Крепкая дружба становится песчаной и рассыпается. Так в итоге к определенному возрасту люди рассредоточиваются по компаниям схожего достатка и социального статуса. Исключительно разбогатевшие и исключительно обедневшие ожидаемо становятся одинокими. Нет, ну понятно, что деньги притянут приятелей, да и среди новых знакомых могут попасться очень достойные люди. Иногда друзья и вовсе бизнес вместе с юности ведут. Но это, скорее, редкость. Написавший мне письмо попал в группу умеренно успешных и поэтому жил счастливо, окруженный компанией друзей ранней молодости. А его однокурсник Федя, как принято сейчас говорить, выпрыгнул в космос. Высокомерным не стал, но на встречах курса появлялся нечасто, особенно после какой-то пьяной разборки, когда один из участников собрания «старых добрых друзей» обвинил Федю в разграблении страны и прочих стандартных грехах. Даже потасовка завязалась. Бизнесмен ушел с солидным бланшем под глазом.

Все потом устыдились, так как Федя был самым обычным предпринимателем, на трубе не сидел. Понятно, что чист перед законом не был, но перед совестью обычной человеческой, говорят, долгов неоплатных не имел. Ну разве что слыл излишне бережливым. На всякие праздники обычно дарил что-то из того, чем торговал. То все на день рождения микроволновки получают, то часы, то скидки мощные на туры куда-нибудь. Все смеялись, что ждут, когда Федя купит кладбище и будет у всех закрыт достаточно дорогостоящий вопрос. Цитировали классический анекдот: «Место на кладбище нашел, но похороны завтра».

После памятной драки встречаться друзья стали еще реже, но Федя не пропадал, звонил, иногда звал в гости за город. С детьми все, конечно, приезжали. Водные мотоциклы, футбол, шашлык, да и потом дача питерская у Феди была, скажем так, демократична. Не вызывала приступов комплекса неполноценности. Правда, Федя все больше времени проводил в Москве, семью туда перевез, так что дружба становилась празднично-сетевой. Однако про дни рождения новоявленный москвич не забывал. Более того — оставался верен себе и даже практически оправдал кладбищенские ожидания.

В один год друзья по очереди получили на дни рождения сертификаты на посещение модной в городе клиники. Как раз стали появляться программы популярного нынче чекапа. Шутки по этому поводу зашкаливали. Все разумно отметили Федину исключительную расчетливость. Приходишь к нему в клинику провериться. Там, конечно, тебе находят Большую медицинскую энциклопедию, и ты начинаешь бесконечно инвестировать в бизнес друга юности. В благодарственных СМС и звонках умоляли Федю вернуться в торговлю бытовой техникой. Он даже обиделся на кого-то, ответил, что наконец что-то толковое подарил. Трое друзей, включая автора письма, стали думать, чем Феде ответить. Собрали небольшую сумму и купили подарочный сертификат на десять посещений дорогой московской парикмахерской. Именинник был лысый практически с института.

Вручить вызвался автор письма. Накануне даты звонит имениннику, трубку взяла жена.

Оказалось, Федя умер месяц назад. От рака. Болел год почти, боролся, но... никому, кроме семейных, не сказал.

Уехал в Германию, там и ушел. Как собаки от хозяев в лес сбегают умирать, чтобы не мучить их: наверное, понимают, что сердца рвутся. Просил и на похороны никого специально не звать, а просто при случае всем сообщить.

Также жена сказала, что он просил передать троице студенческой, пусть они считают его последней просьбой использовать те сертификаты, если еще не нашли времени.

У него не было никакой своей клиники, просто Федин рак практически пропустили. Не факт, что вытащили бы, но шансов было бы больше. Вот он и стал близким дарить на дни рождения один и тот же подарок. Хотел кого-то спасти. Придя в себя, друзья все как один пошли по врачам.

У одного и правда нашли полип нехороший в нехорошем месте. Успели. После таких событий они стали либо уговаривать знакомых самих провериться, либо тоже дарить походы на анализы. Никто уже не смеялся над таким презентом. Круги по воде начали расходиться.

Прошло уже восемь лет. С тех пор известно минимум о шестерых, которых благодаря Фединому толчку вытащили, считай, с того света. А эти трое в каждый его День рождения приезжают к нему на могилу. Всегда. Без прогулов.

Там, на кладбище, все демократично. Старые друзья вспоминают молодость, и все равны.

ЭТО БУДЕТ НЕТРУДНО

Петр Петрович решил секвестрировать бюджет на секс. Не потому, что деньги стали кончаться, а за компанию и из-за появившегося внутреннего оправдания. Кризис. Если бы его не было, его стоило бы придумать.

В тучные годы жадность — это порок, а в нынешние — добродетель. Главное — научиться верить в то, что кризис есть. Вот лежало у тебя в микроволновке сто миллионов долларов на черный день. Ударил по ним серпом геополитический интерес. Осталось пятьдесят.

Разумеется, нужно снизить зарплату водителя, отказать жене в сумке и сыну в самокате. Именно такие шаги спасут ваше состояние. Здесь чупа-чупс не купил, там чаевые зажал — глядишь, миллионов двадцать и наскоблил. Конечно, все это возможно, если научиться технике мгновенной скорби. Это искусство. Моментальное преображение в отца двухсот детей, потерявшего работу. Два урока данной техники, и вы можете перестать выплачивать дивиденды, сокращать персонал, отменять корпоративы и вообще тратить деньги на близких вам людей.

Так вот Петр Петрович Шмуэль месяц потренировался и решил наконец избавиться от очередной содержанки.

Она ему обходилась в триста тысяч рублей в месяц плюс транспортные расходы и талончики на питание. Г-н Шмуэль разделил все расходы на количество минут секса в месяц и получил сумму, которая его очень раздосадовала. Он вдруг понял, что зарабатывает в минуту меньше. Потрясающим открытием он поделился с друзьями. Те разумно предложили увеличить количество минут. Наш математик потратился на магические таблетки и чуть не сдох прямо в момент исправления финансовой отчетности по своему сексуальному активу. Угрюмый Петр Петрович не знал, что делать,— и тут этот кризис. Коммерсант овладел упомянутой выше техникой мгновенной скорби и поехал соскакивать с крючка.

Встречу назначил не в уютном скворечнике, а в самом что ни на есть публичном месте. Он разумно считал, что ни до, ни после секса такой разговор вести не солидно.

Речь жертвы кризиса была хорошо подготовлена. Он долго распространялся на тему беззащитности российского предпринимателя перед лицом кровавой американской военщины, пытался открыть компьютер, чтобы все доказать, постепенно начал вести разговор к неспособности в таком напряжении дать Свете все, чего она заслуживает, но был вовремя остановлен.

— Петь, ты что хочешь, чтобы мы расстались?..

— Я не хочу, я этого не хочу больше всего на свете, но... Тяжело говорить, но кризис по мне сильно ударил, что я ну... В общем, у меня такие долги, что я не очень сейчас себе могу позволить такую роскошь, как личная жизнь.

Петр Петрович должен был своему водителю за кефир.

Это всё.

— Так все плохо? Совсем-совсем денег нет?

— Совсем...

— Как же так... Ну Петенька, ну хочешь, отдашь когда сможешь, ну через месяц, я кое-что накопила...

— Да тут одним месяцем не обойдешься... А я, знаешь, слишком хорошо к тебе отношусь, чтобы эксплуатировать.

— Ты меня не эксплуатируешь. Ну просто если бы ты хоть раз сказал, что у тебя ко мне что-то, кроме постели, я бы вообще никогда вопрос денег не поднимала. Я все-таки не совсем еще сука.

Где-то внутри Петра Петровича сработала сигнализация. Минное поле! Надеть каску! Срочно покинуть помещение! Но жадность, как всегда, победила. Зародившаяся в недрах второго подбородка мысль о возможной халяве начала свербить и требовала уважения.

— Ну, вообще-то, у меня к тебе не просто секс... Ты что... Ну разве не видно по мне. Я к тебе очень привязался. И вообще, можно сказать, влюблен, так что мне, если честно, очень тяжело будет расставаться. Очень...

Петр Петрович вновь применил технику мгновенной скорби.

Светины глаза заслезились.

— Правда... Я думала, тебе вообще наплевать на меня. Петечка, ну, конечно, если все искренне, то давай вместе подумаем, как выйти из ситуации. Может, работу мне найдем, я готова переехать в более дешевую квартиру, да и вообще, хочешь, в Сочи поедем летом.

Петр Петрович терзался: с одной стороны, он понимал, что по итогу какие-то расходы останутся, но сам факт отжатия партнера по цене приводил его к своеобразному оргазму.

— Ты меня сейчас так растрогала... Я уж и не верил, что такие девушки остались. Плохо я о людях думаю — по себе сужу... Ну давай попробуем, я за несколько дней пойму, что там у меня получается, и решим, а в Сочи не сильно дешевле, кстати. Так что я тут, на Истре, гостиницу присмотрел, поедем туда на недельку, когда я своих отправлю на... дачу под... под Владимиром.

Петр Петрович чуть не прокололся, своих он как всегда собирался отправить на дачу под Биаррицем, но в данных обстоятельствах такое признание сломало бы всю стратегию переговоров.

— Я готова и на Истру. Я с тобой почти везде готова.

Петр Петрович ощутил себя настоящим Талейраном. Вечером он решил закрепиться на позициях и написал в «Вотсапе»:

— Светочкин, я правда очень-очень хочу, чтобы мы были вместе. Спасибо тебе за чуткость. Я надеюсь, скоро все образуется и эти сложные времена мы пройдем вместе.

Ответ пришел незамедлительно.

— Котик, если бы я раньше знала, что ты правда хочешь быть со мной, мы давно бы так и поступили, мне самой было очень неудобно и противно.

— А я стеснялся тебе сказать, думал, посмеешься над старым, лысым дедушкой.

— Ты не старый и очень милый. Жаль, мы с тобой не встретились раньше. А то бы сейчас вместе ездили на дачу во Владимире.

Петр Петрович как раз был доволен, что не встретил Свету раньше и не сел в тюрьму за совращение малолетних.

На следующий день Петр Петрович пожал то, что посеял.

— Петя, у меня есть два вопроса. Кто такая Света и зачем тебе, сука, дача во Владимире? Зачем тебе вообще дача в России, ты ударился в патриотизм?

Жена Петра Петровича задала вопрос голосом, не оставляющим никаких других интерпретаций, кроме тотального кошмара. Было ясно, что речь идет не об абстрактной Свете.

Петр Петрович набрал в рот Тихий океан.

— Ладно, черт с ней, с дачей, меня волнует эта курица Света. Я обычно закрываю глаза на твои попытки молодиться, но это уже перебор. Может, объяснишь мне, почему я сегодня получила эту петицию?

Юлия Викторовна прочла со своего телефона:

— «Ваш муж любит меня, а не вас. У нас все серьезно, если вы женщЧина...», написано, Петенька, через «Ч», «... дайте нам быть Щастливыми», написано, как ты понимаешь, через «Щ». «Отпустите его. Зачем вам муж, который любит другую?» И правда, Петь, зачем?

Тихий океан испарился, оставив во рту Петра Петровича пустыню Сахару. Тем не менее он попытался соскочить.

— Я вообще не знаю, о ком ты говоришь, это какая-то ошибка!

Юлия Викторовна снизила голос до скрежета.

— Я тоже надеюсь, что это какая-то ошибка. Ты даже себе не представляешь, как я надеюсь. Потому что, если ты любишь Свету и у тебя есть дача во Владимире, то Света и дача во Владимире — это все, что у тебя останется после нашего развода,— процентов семьдесят богатств Петра Петровича было спрятано через жену.— Но вот в чем дело, у меня принтскрины твоих сообщений, из которых следует, что ты, козел старый, любишь Свету и у тебя есть дача во Владимире. Показать?

— Не надо. Я соврал! — лязгнул фальцетом рот экономного мужа. Петр Петрович немедленно бы получил первый дан по искусству внезапной скорби, но сейчас все было честно. Ответ был ледяным.

— Разумеется, ты соврал. Я хочу знать, кому именно.

— Ей. У меня нет дачи во Владимире, у меня нет к ней никаких чувств, я хотел сэкономить и получить... — Петр Петрович думал, что не решится произнести эту фразу, но справился: — ... получить секс бесплатно за любовь! Сказал, что разорен, придумал про дачу! Мне очень стыдно, очень!

— Перед кем?

— Перед всеми стыдно.

Он почти выл.

Наступила тишина. Петр Петрович молчал, потому что думать не мог. Юлия Викторовна молчала, потому что думала.

— Пять карат.

Петр Петрович чуть не взорвался. Он не имел ничего общего с бриллиантами, но знал, что это очень много. На эти деньги можно было бы содержать целый гарем в течение долгого времени. Он хотел было начать по привычке торговаться, но понял, что если когда-либо торг и был неуместен, то именно сейчас.

— Хорошо.

Как паста из тюбика выдавились слова:

— В каждое ухо и на палец.

Юлия Викторовна хорошо знала советское кино.

— Петя, я очень, очень, очень не люблю жадных мужчин. Будем выжигать. А то мне за тебя стыдно. Перед Светами.

Она уже почти вышла из комнаты, но вдруг остановилась, просияла и добавила:

— Слушай, Петь, а давай и правда купим здесь дачу, хорошая мысль тебе в голову пришла. Но не под Владимиром, а дорого, на Новой Риге. Точно. Завтра займусь.

Петр Петрович начал стирать из телефонной книги все женские имена.

ЗАСЕЛЯЮСЬ В ПИТЕРЕ В ОТЕЛЬ

Заселяюсь в Питере в отель. Ресепшн мил в кубе. Регистрируют.

— Александр Евгеньевич, может, морс или шампанское?

— Час дня…

— Понимаю, с морсом это я пошутила.

СТАРШИЙ СОСТОЯТЕЛЬНЫЙ ТОВАРИЩ

Старший состоятельный товарищ, чьи взрослые дети раскиданы по разным странам, наконец их собрал и провел неделю вместе.

— И как?

— Чудесно! решил, кому все оставлю!

— Кому?

— Благотворительному фонду.

У МЕНЯ СЕГОДНЯ БЫЛО ВИДЕНИЕ

У меня сегодня было видение. Я разговаривал с Богом. И Он со мной. Просил передать, что простит всех, кроме рассылающих по всей записной книжке сообщения с просьбой простить в Прощеное воскресенье. Этих людей Бог не простит. Сам сказал.

НЕ УСТАЮ ВОСХИЩАТЬСЯ НАШЕЙ МОЛОДЕЖЬЮ

Не устаю восхищаться нашей молодежью. Изобретательны до предела. Вот знаете, что на новошкольном означает «полуборщ»? Зависли? Думаете? Я тоже стоп-кран дернул.

«Полуборщ» — человек наполовину русский, наполовину кавказец.

Задумался о том, кто я.

ДРУЗЬЯ, МНЕ ОПЯТЬ БЫЛО ВИДЕНИЕ

Друзья, мне опять было видение. Господь разговаривал со мной и поделился лайфхаком. Итак, ваша жена или девушка, не отвечает на звонок и не слушает аудиосообщение. Эсэмэсит, что занята и чтобы вы написали текстом, что надо, а вам лень набирать? Как заставить ее прослушать ваш речитатив? Легко!

Записываете. Посылаете. А вслед сообщение:

«Ой, это не тебе!»

Через десятую долю наносекунды вы узрите результат.

ПОНЕДЕЛЬНИК. ДЕСЯТЬ УТРА

Понедельник. Десять утра. Цветочный. Ну надо мне. По делу важному. Цветочница — тетушка с опытным лицом и глазами следователя.

— Ну пойдемте выберем, я так понимаю, судя по тому, что цветы покупаются утром в понедельник, в выходные кто-то провинился?

Я в выходные работал папой римским, вины не наблюдалось, но мне стало любопытно.

— Допустим. А как это влияет на выбор цветов?

— Чувство вины лучше всего заглаживается ромашками.

— Почему?

— От ромашек есть ощущение, что вы собрали их сами.

— Зимой? в Москве? разумно.

На меня посмотрели с разочарованием и безнадежностью:

— Ничего вы в женщинах не понимаете, нам нужна мечта. Ну что, розы, я так понимаю?

НИЧЕГО СТРАШНОГО

Питер. Ресторанчик. Управляющая. Искрит. Щебечет.

— Алексей, мы так рады, что вы к нам зашли, так люблю ваши рассказы, у меня к вам, Алексей, просьба, а можете мне подписать, ну вот хотя бы блокнот.

— Я Александр

Она без паузы. Разочарованно. С претензией.

— Странно... вам так идет Алексей.

Мне даже стало неудобно за своих бестолковых восемнадцатилетних на тот момент родителей.

— Ну извините. Не я выбирал.

— Да ничего страшного. Подпишете?

ЖЕНСКАЯ ЛОГИКА

Занятно все-таки женщины устроены. Полюбить за поступок — это мы не можем, нужен урок химии и божественная лазерная указка, а вот разлюбить за поступок — пожалуйста.

ПРОКРАСТИНАЦИЯ

Наступил рай легальной прокрастинации, и на любой входящий звонок можно отвечать: «Давай уже после Нового года».

МАМА НАУЧИТ

Москва. Ресторан средней гламурности. Мама стервозно-образованного вида и дочка лет двенадцати с похожими перспективами. В разговор не вслушивался, но я так понял, у девочки разборка с подругой. Мама учит жизни. В итоге ребенок показывает смс, которое хочет отправить:

«Все правильно, но не здохни, а сдохни».

ПЕТЕРБУРЖЕЦ

Обращаюсь к таксисту:

— Может, по Яндексу поедем?

— Я бы с радостью, но в последнее время он БЕСКОНЕЧНО ЛЖЕТ.

Захотелось дать навигатору пощечину.

WI-FI

— А чего не загорел?

— Крем хороший.

— Как называется?

— Wi-Fi.

ЛЮБОВНОЕ

Встречался с новым приятелем/коллегой по кинопроекту. Он ушел в туалет, а телефон оставил. Жужжит входящий. На весь экран характеристика: «Ненормальная из самолета». Во время звонка товарищ вернулся и ответил. По разговору понятно, что жена. Я не сдержался, расспросил. Оказалось, и правда познакомились в самолете, а он не запомнил имя и записал как записал. Поженились. Мнения не поменял. Любовь.

Опубликовано с разрешения

ПЬЕМ С АНГЛИЧАНИНОМ

У вас лучшее метро в мире, чистое, красивое, но одно мне не ясно. Почему вы показываете не время, оставшееся до прихода поезда, а время, прошедшее с ухода поезда, на который вы, получается, опоздали. В чем логика? Будущее не определено?

Я реально задумался. Ответа у меня нет.

СЕСТРА, ПЯТНАДЦАТЬ ЛЕТ

— Возьми меня на съемки.

— А ты мне что?

— У меня есть подруги, но ты старый и женатый, поэтому просто возьми меня на съемки.

СЕБЯ НЕ ЖАЛКО

Удивительно, я всегда думал, что самое сложное будет смотреть на себя в зеркало и видеть, что уже не двадцать. Особенно если вдруг попадаются фотки из универа...

Оказалось, гораздо тяжелее смотреть на тех, кого любишь с юности.

Себя, выясняется, не жалко, за себя не болит. За них — да.

ОТРЫВКИ ИЗ СПЕКТАКЛЯ О ЛЮДЯХ, ТОЛЬКО ЧТО УМЕРШИХ И ОЧНУВШИХСЯ НА ТОМ СВЕТЕ. ИХ ПЕРВЫЕ МОНОЛОГИ

ВОТ ЧТО Я ЕЙ ТОГДА НЕ ПОЗВОНИЛ

Вот что я ей тогда не позвонил... Ведь и телефон был. Представляешь, помнил его наизусть лет сорок получается. Ничего не мог запомнить, а его не мог забыть. Тридцать шесть, пятьдесят пять, четырнадцать. У них еще тогда по шесть цифр было. Жизнь кажется длинной, а потом вот ррррaз — и сидишь тут с собакой разговариваешь. Я много раз хотел набрать. А что скажу? «Привет, ты как? Я нормально женат, двое детей, девочки, внук даже есть. Кого люблю? Девочек? Конечно! Жену? Ну... она мама хорошая».

А она вдруг мне скажет, «А у меня все плохо, жизнь не сложилась, жаль ты тогда не позвонил. Я так ждала».

Я и тогда-то испугался ответственность взять. У нее ребенок от кого-то, я нищий. Ну куда мне все это было? Но телефон-то помню.

А уж если ей сейчас плохо, то начал бы себя корить, что во всем виноват, еще полез бы спасать. Точно бы полез. Знаешь, иногда лучше про чужие беды не знать. Просто если знаешь, то не помогать как-то неприлично. А если не знаешь, то какие вопросы?

Надо было позвонить. Хотя бы раз голос услышать. Хотя бы лет через двадцать, еще бы узнал. Сейчас, наверное, уже нет. Да она, может быть, умерла. Ты, может, ее видела. Может, сидела вот так, тебе про меня рассказывала, говорила: «встретишь Колю Кирпичникова, откуси ему...» Н-да если она раньше меня на ваши суды попала и все обо мне поведала, рассчитывать особо не на что будет. Хотя... если так взять. Плохого я ничего не сделал. Разве что надежду дал на какое-то время. Хотя я особо ничего не обещал, просто исчез, перестал трубки брать. А зачем? Только мучить.

Мне кажется, я вот как тогда полюбил ее, так больше никого по-настоящему и не любил. По-настоящему — это только если взаимно. Иначе все не то. А она меня любила. Вот вы нас, собаки, любыми идиотами любите. И она меня так же.

Надо было набрать.

Я, когда начальника местного тут встречу, обязательно скажу, что предупреждать надо о том, что кран выключать собрались. У меня реально минуты две-три было. Так сердце прихватило, что понял — не успеть мне до больницы. Думаю, надо жене позвонить, предупредить, что к ужину не приду. А в голове только ее цифры «тридцать шесть, пятьдесят пять, четырнадцать». Забыл все остальные номера, а рядом только городской. Ну я и набрал. А там гудки странные. На ее голос похожие. Я бы, знаешь, просто прощения попросил. Здесь его не у кого попросить... У тебя только если. А что ты понимаешь? Молчишь. Дышишь. Хотя чего тут понимать?

Ладно, если ты ее после меня встретишь, передай, что я прощения просил.

Пойду я. Поищу, где выход. Запомнила? Тридцать шесть, пятьдесят пять, четырнадцать. Коля Кирпичников. Ах да, зовут ее... Господи, как же ее зовут-то? Тьфу, вот склероз. Нет, ну подожди. Я не мог забыть. Я когда умирал, помнил, а сейчас забыл? Так не бывает. Помню, мне имя не нравилось, я еще ее Соней называл. Да что же это такое! Вот придурок. Уфф. Смешно, ей-богу. Я же дочку в ее честь назвал.

Это я на нервной почве. Не каждый день умираешь. Галина она.

Галина. Телефон в Рязани. Тридцать шесть, пятьдесят пять, четырнадцать. Коля из Москвы. Запомнишь? Прощения просил. Ну и передай, что до сих пор люблю.

Надо было набрать.

ИВАН СЕРГЕЕВИЧ

Ну все, конец мне. Подвел я Иван Сергеевича, он мне пост доверил, а я сбежал и даже не предупредил! Стыдно-то как... Позорно.

Взял вот так и безответственно умер, можно сказать, нарушил партийную дисциплину. Надо собраться и что-то придумать. Тут же должна быть связь. Ну не может быть, чтобы никакой возможности не было туда что-то передать. Тут не идиоты, тут должны это продумать. Ладно я, а если бы Иван Сергеевич умер, как область без него бы?.. Должна быть связь! Поищу.

Нет связи. Ничего нет. А еще говорят, у нас воруют. Здесь вообще ничего нет, а наверняка должно было быть, но все растащили, Ивана Сергеевича на них нет. Эх.

Мне даже страшно подумать, что там сейчас начнется, как жена утром меня добудиться не сможет.

Это ведь ей придется звонить Иван Сергеевичу... это если она еще номер его найдет. Надеюсь, тянуть не будет, сначала позвонит Ивану Сергеевичу, а потом уже скорая и все остальное. Ну, она опытная, знает что делать. Не подведет.

И главное, во сне... ну вот нельзя было как-то днем, я бы точно успел нужные распоряжения оставить. Юбилей района, ну не каждый день же такой праздник! А меня главой вот только недавно назначили, я, можно сказать, всю жизнь шел к этому дню и умер прямо в день рождения. А кстати, кто его придумал делать первого октября? А, вспомнил, это Сухин, сторож наш, правильно сказал, хорошая дата, первое октября, еще до нас на обычной машине доехать можно, потом уже только на уазике, да и то...

Интересно, Иван Сергеевич-то уже выехал? Может, успеют его предупредить, так неудобно будет, ему два часа трястись, а тут такое. Он бы мог столько полезного сделать за эти два часа, он у нас работящий, вся область на нем, а я его подвел.

Люди придут, гости официальные с ним будут, праздник народный, остановку автобуса покрасили, ленточку приготовили, школьный хор выучил песню, наконец, кстати на стихи Иван Сергеевича, а глава района струсил, сбежал, считай. Остановку покрасили. Черт, главное, чтобы дождя не было, денег-то на краску нормальную не было, мы пока старой нашей все замазали, я на днях думал немецкую взять у одного из наших торгашей, у него от коттеджа осталась. Но солнце всю неделю, я и рискнул. А вдруг все-таки дождь? Ну, надеюсь, наша сдюжит. Довоенная вроде, тогда еще умели краску делать. Надеюсь...

А то я, как представлю лицо Ивана Сергеевича, так душа в пятки, хорошо, что отсюда меня не достать, а то бы еще раз умирать пришлось, нет, конечно, удобно, что вот прыгнул сюда и все. Раз — и нет никакого Иван Сергеевича. Ты просто не понимаешь, какой это зверь! Ваш местный суд — это санаторий по сравнению с селектором нашим.

Ну а как иначе областью рулить? Без жесткой руки наш брат мягким становится, податливым на всякие глупости, начинает думать много лишнего, прессу читать.

Черт, пресса! Эти тоже, как узнают, что я умер, поливать область начнут, что, мол, продолжительность жизни в районе низкая или, еще хуже, что Иван Сергеевич подчиненных довел. Ей-богу, лучше бы меня машина сбила... меньше забот Иван Сергеевичу, и меня нельзя обвинить в несознательности. Э-э-эх, Иван Сергеевич, не серчай.

Ну, надеюсь, праздник не отменят. Это уже совсем никуда. Можно, кстати, меня одеть и посадить в углу, дескать жив, просто устал и молчит. А потом уже тихонечко всем сказать, я бы на месте Ивана Сергеевича так бы и сделал. Как бы ему эту мысль передать. Нельзя вот так вот, с делами не разобравшись, уходить. Нельзя. Не по-товарищески. Вот Иван Сергеевич бы так никогда не поступил. Поэтому он и глава области. Надеюсь, он мне выговор посмертно не объявит. А то ведь может. Хотя будет прав. Другим урок. Пусть думают, когда на службу Отечеству заступают. Ну ладно, буду пока здесь все к приезду Ивана Сергеевича готовить. Вот придет его срок, прилетит он сюда, а я уже здесь — все в деталях продумал, программа по минутам. И скажет мне Иван Сергеевич:

«Молодец, Килькин, возьму тебя на повышение, как обещал».

ПРЫЖОК

Эх, Рыбкин. Кретин ты, конечно.

Нет, я не жалею, я даже не задумался. Как увидел глаза этого Рыбкина, так и прыгнул.

Он пацан совсем еще. Хилый, бестолковый. Правда, честный. Была у нас заварушка, он сам даже огреб, но никого не сдал. А вот руки из жопы, ничего в них удержать не может. Он еще такой, знаешь, весь в веснушках, мать говорит, это в деда.

К нам мать приезжала, она как чувствовала, говорит: «Сергей Иванович, я вам Кирюшу как отцу доверяю, он у меня один. Была у него сестра, да...» и заплакала. Я уж спрашивать не стал. Чего сердце бередить, у самого две девчонки. Я, когда они палец режут, с ума схожу, а тут...

Хорошая мамка у Рыбкина. Заботливая, но в меру. Не сидит на нем как курица на яйце, хотя на Рыбкине надо бы. Я вообще не знаю, как он жить собрался. Мать вот беречь его просит, может, думает, он на старости заботиться о ней будет?

Рыбкин будет! Это точно, только я бы многое отдал, чтобы к нему в руки в старости не попасть. Старость сразу закончится. Знаешь, вот есть такие люди: добрые, хорошие, но такие непутевые, что одно зло от них. Ну, хорошо, не зло, зло — это намеренно, просто один вред. Вот вроде бы помочь всем хотел, а все испортил. И непонятно, прощать таким или как? Ведь если с добрым сердцем, то вроде бы все прощать нужно. Я не знаю. Рыбкин кстати, думаю, если каким-то чудом армию пройдет, должен о моих дочках хотя бы как-то позаботиться. Ну они всем отделением должны, конечно, но Рыбкин больше всех стараться должен. А от его заботы, боюсь, одной беды жди. Ну, надеюсь, Маринка быстро замуж снова выйдет. Баба видная, еще и с работой, потом меня, наверное, как-то наградят, хотя от их наград толку никакого, посмертно особенно. У вас тут мои награды зачтутся? Не в курсе? Вот и я о том. У вас тут свои награды, я думаю. А эти лучше бы квартиру дали.

А то живем в однушке вчетвером. Ну, точнее жили... Нет все равно лучше, чем в общаге. Если по-честному, то в армии сейчас все как надо. Я еще помню, как в двухтысячные было. Сколько людей по глупости положили. Скажешь, я тоже по глупости? Может, и так. Но уж точно не от безденежья или предательства какого. Просто таких, как Рыбкин, нельзя в армию брать. Опасно для всей страны. Он и не хотел. Говорит: «Возьмите санитаром». А куда его, лба здоровенного, в санитары? Руки как ласты. Вот он, дурень, гранату в ластах и не удержал. И что мне делать было? Стоят двенадцать оболтусов и Рыба над гранатой. Глаза стеклянные. Ну как можно было ее выронить?! Я войну прошел — выжил, а тут...

Мне, чтобы прыгнуть, Рыбкина аж оттолкнуть пришлось. А когда падал на гранату, время как остановилось. Но жизнь не пролетела. Вспомнил Серегу почему-то. У нас его «засранец» в роте прозвали. Пошел ночью в сортир, а вот представляешь, именно туда снаряд прилетел. И все помнили, как Серега уходя говорил: «На хрена я этой фасоли наелся? Обосраться теперь боюсь». А он смелый был, два часа один раз отстреливался. Не ушел. Так вот я на гранате лежу, сначала Серегу вспомнил, а потом то, что фасоль на завтрак ел. Сейчас как разорвет, весь Рыбкин в фасоли будет. Но маме я слово сдержал. Рыбкин-Рыбкин. Ладно, куда тут самоубийцам?

ФУТБОЛ

Ну вот. Я, конечно, надеялся просто уснуть. Вот не поверишь, всю жизнь мечтал отоспаться. Взрослые друзья обнадеживали, что отосплюсь в старости. Ничего подобного. Понимаешь, что времени мало осталось, и столько всего не успел, а главное — не успеешь. Вот хотя бы этот чемпионат мира. Три матча в день, половина ночью из-за разницы во времени. Тяжело, а смотреть надо. Следующий чемпионат через четыре года, а врачи сказали, максимум года два мне. Не угадали. Я в несколько месяцев уложился. Перевыполнил план. И я знал, что так и будет, понимал, это мой последний финал чемпионата мира по футболу.

Девяносто минут. Я даже чай не пошел наливать. Смотрел каждую секунду! Хотя игра, конечно, тоскливая была. Не семьдесят восьмой год. Мечтал, чтобы дополнительное время было. Но... не повезло. Я вообще с шести лет футбол смотрю. Пересмотрел тут некоторые финалы. Ну это же Шекспир! И вот последний. Странное ощущение. Как последняя серия «Место встречи изменить нельзя». Я долго телевизор не выключал. Представляешь, я когда маленький был, мечтал в сборной СССР играть. И талант был! Все говорили. Чемпион Москвы в своем возрасте. Родители решили, что наука — это лучше. Сами ничего не достигли, решили на мне отыграться.

Знаешь, вот сейчас идешь по улице, и ребятенок в модной одежде. Ему все равно же ведь! Зачем его наряжать?! А я объясню. Это мама себя миру показывает. Она же две пары кроссовок одновременно натянуть не может. Или две шапки. А тут такое раздолье. Так вот и мои также. Хотели всем говорить — наш сын математик, победитель олимпиады. И что теперь? Может, если бы я в спорт пошел, сейчас не стыдно было бы. А они не дали. Помню, за Академию наук играл. Так все спрашивали, откуда это у профессора Ярцева такой удар? Откуда? От меня и от Бога. Вот диссертация — от Коли Тарнавского, и Госпремия, по сути, тоже его. А вот удар — мой. Удар не украсть. Но это же никому не важно. Все считают, и удар мой, и изобретение.

А я не просил меня в математики отдавать. Я хотел в футбол. Но маме же нужен был сын-ученый. Я ее тогда спросил: «Мам, это, если честно, Коля придумал». А она старая была, но в разуме, спокойно сказала: «Коле это уже не поможет, а ты и сам мог придумать, просто он раньше, посмертная слава, как спасательный жилет на захлебнувшемся. Красиво, но зачем?» Она-то Колю первая встретила. Интересно, что он ей сказал? А может, и не встретила.

Я эту науку ненавидел, если честно, даже, знаешь, внутри гордился, что изобретение чужое. Ни хрена она от меня не получит. Наука эта. А Коля... он, конечно, горел.

Я вот сейчас очень бы не хотел его встретить. Поэтому и сижу здесь с тобой. Ну а что я ему скажу? «Извини, Коля, ты зачем-то под поезд попал. Никто тебя не просил. А что, архиву пропадать, что ли?» Он глуховат был. Не заметил поезд. Так кто-то еще из великих погиб. Но Коля не великий. Про него не напишут.

Вот то, что я его дочке деньгами не помог, это каюсь. Но зато она в люди выбилась сама, а так бы паразитировала, как мой оболтус: сорок лет, а он все «подает надежды». Э-э-эх, как я угловые подавал. «Сухой лист» на спор забивал. А этот надежду даже подать не может.

Наверное, они сейчас с женой очень озадачены, завещание читая. Оставил все Фонду ветеранов спорта. Просто я же их место занимаю. Ветеранов этих. Я должен был не на даче в Жуковке умереть, а как они, в халупах, в доме престарелых, без горячей воды и с тараканами. А мне не дали. Но они зато на поле выходили в форме сборной Советского Союза. Мне несколько лет снилось, как диктор объявляет: «Номер четыре. Аркадий Ярцев» — и трибуны ревут. Какая там Госпремия, какой музей собственный? Эх, мама, мама. И Коля в памяти бы остался ученым великим, и я бы честь страны защитил. Ну вот зачем тебе был сын-математик? Но все справедливо. Ты у меня мечту украла. Я у Коли — дело.

Думаешь, мне не стыдно? Стыдно, конечно. Но зачем ему эта слава здесь? Деньги, да. Надо было поделиться. Какой все-таки финал позавчера был! Интересно, мне просто досмотреть дали или случайно? Два дня как-никак лишние пожил. Ты как к футболу? Я бы хоть с тобой поиграл. Или с Колей... Он бы, кстати, меня простил бы. Ему главное было, чтобы в принципе получилось. Простил бы. А я вот маму что-то пока не могу...

ЧЕШИРКО ЕВГЕНИЙ

Трогательный, легкий, добрый, дающий возможность сопереживать — это всё Евгений ЧеширКо! Новое дыхание в современной литературе! Рассказы не оставят равнодушными и взрослых, и стариков, и детей! Хочется читать, перечитывать и знать их наизусть.

Полина Максимова, актриса театра и кино

ФРАГМЕНТЫ ИЗ ДНЕВНИКА ДОМОВОГО

10 июля

Начал вести дневник. Последние сто пятьдесят лет помню, а то, что раньше было — забывать стал. Буду записывать, может пригодиться. Тетрадку стырил у Хозяйки, думаю — не заметит.

11 июля

Не вымыла посуду? Попрощайся с сережками. Совсем уже расслабились, людишки…

12 июля

Было скучно. Всю ночь гоняли по дому с Котом наперегонки. Хозяйка проснулась, пнула его и заперла в кладовке. За это выдавил остатки зубной пасты в мусорку. Кот расстроен и злится на меня за то, что гоняем вместе, а достается только ему.

14 июля

Ночью от нечего делать гремел посудой и топал. Хозяйка залезла под одеяло и думала, что ей это поможет. Смешная она у меня...

15 июля

Приходил толстый поп с кадилом, завонял весь дом. Сказал Хозяйке, что все будет хорошо. А вот фиг вам... Меня кадилом не проймешь.

17 июля

Свалился со шкафа, разбил вазу. Опять досталось Коту. Теперь он со мной не разговаривает. Только сидит и смотрит с осуждением. Неудобно как-то получилось...

18 июля

Хозяйка пылесосила. Полтора часа просидели с Котом под кроватью. Адская машина! Зато с Котом помирились.

21 июля

Долго не писал, после уборки Хозяйкой три дня искал дневник. Ничего интересного. Приходил к ней какой-то мужик с цветами, оставался ночевать. Попросил Кота нагадить ему в ботинки. Тот долго отнекивался, но я пообещал ему достать игрушку из-под дивана. Согласился. Опять получил люлей. Говорит, что я — говно.

22 июля

Ночью душил Хозяйку по старой привычке. Теперь этот мужик ночует у нас каждую ночь. Говорит, что он ее защитит. Рэмбо, блин!

23 июля

Ночью душил мужика. Достал уже. Не нравится он мне.

24 июля

Делал уборку в доме. Хозяйка не может найти цепочку. Думаю подкинуть ее в лоток Кота.

27 июля

Приезжали из «Битвы экстрасенсов». Каждого посылал на фиг, никто не послал обратно. Зато сказали, что я — дух покойного дедушки Хозяйки. Врут. Он уехал два года назад.

29 июля

Хозяйка теперь оставляет мне молоко под печкой. Думает, я там сплю. Нашла дурака! Я теперь сплю с ней на кровати, благо мужик ссыт и больше не приходит.

30 июля

Натыкала по всей квартире иконок. Походил, посмотрел... Раньше лучше рисовали...

2 августа

За ВДВ!

3 августа

Хозяйка весь день бегала по дому, искала Кота. Думала, что он сбежал. Сидели в шкафу, ржали.

5 августа

Забыл включить стелс-режим. Хозяйка побежала за краской для волос.

9 августа

Пели песни с Котом. Хозяйка звонила ветеринару. Кот теперь переживает за свои шарундулы.

12 августа

Все-таки продала она квартиру. Вот зараза! Вчера съехали. С Котом договорились переписываться через голубей. Когда съехали, обнаружил, что он нагадил под печкой. Вот гаденыш!

14 августа

Въехала новая семейка... Ну-ну...

20 августа

Скучаю по Коту. Он мне пишет, что не скучает, потому что вопрос о шарундулах еще открыт. Врет, зараза!

21 августа

Переговорил с их Домовиком. Он не против разменяться. Тем более что тут трешка, а у них двушка. Договорился с голубями о переезде. Запросили полбатона крошками. Совсем озверели! Ссылаются на инфляцию.

22 августа

Собрал сундук, жду голубей.

24 августа

Ура! Переехал!!! Кот делал вид, что не рад. Потом предложил позырить в окно. Сказал мне, что тоже скучал. Обнялись.

25 августа

Сказал Коту, что в зеркале живет бабайка. Ходит, шугается.

26 августа

Выпил молоко из миски Кота. Сказал ему, что это мухи. Он пошел договариваться с пауком, чтобы сдавал мух ему.

27 августа

Поскользнулся в ванной. Ударился копчиком. Хозяйка лишилась любимой заколки.

28 августа

У Хозяйки новый Хахаль. Кот не хочет ссать в ботинки. Игрушка уже не прокатывает. Если останется ночевать — буду душить.

29 августа

Хахаль поскользнулся в ванной. Ударился копчиком.

Ржали с Котом под умывальником. Вернул Хозяйке заколку.

30 августа

Играли с Котом в прятки. Делаю вид, что ищу его. Просто захотелось покоя. Я-то знаю, что он в шкафу сидит.

31 августа

Кот обиделся за то, что я забыл его найти, а он весь день просидел в стиралке. А я думал, что у него нет фантазии…

1 сентября

День знаний. Кот сожрал букварь.

3 сентября

Третье сентября — день прощанья,
День, когда горят костры рябин,
Как костры горят обещанья
В день, когда я совсем один…
И Кот еще со мной. И Хозяйка.

4 сентября

Хахаль на удивление настырен. Ходит и ходит. Как ему объяснить, что у меня аллергия на розы?

5 сентября

Сказал Коту, что видел в квартире мышь. Кот вышел на тропу войны. Не спит по ночам, сидит в засаде.

7 сентября

Кот сказал мне, что поймал ее, пока я спал. Не буду его расстраивать. Пусть думает, что я поверил.

8 сентября

Стырил у Хахаля ключи от машины. А он остался ночевать. Кот сказал, что стратег во мне умер, не родившись. Блин, по ходу он прав. Вернул ключи. Коту сказал, что мыши не было. Обиделся, не разговаривает.

9 сентября

Кот теперь подлизывается к Хозяйке. Перевернул его лоток. А потому что не фиг друзей на баб менять!

10 сентября

Закончилась тетрадка. Пойду пороюсь в хозяйкиной сумке.

12 сентября

Завел новую тетрадку. Сижу на холодильнике, пишу. Три часа ночи. Хозяйка жрет колбасу и думает, что ее никто не видит.

13 сентября

Кот линяет. Я чихаю. Хозяйка крестится.

15 сентября

Читали с Котом Камасутру. Ну как читали?.. Ржали с картинок. Но потом много думали.

16 сентября

Кот нагадил под кроватью. Спрашивал у него — зачем? Говорит — само как-то вырвалось. Переживает. Спрашивает у меня, где можно схорониться на пару дней.

17 сентября

Хозяйкин Хахаль полез за тапочками и вляпался в... историю. Кот сидел на шкафу и делал вид, что вытирал там пыль. Хахаль полез за ним, упал и сломал руку. Я от смеха упал вместе с люстрой на Хозяйку. По календарю — благоприятный день.

19 сентября

Хахаль пока не приходит. Хозяйка налупила тапком Кота. Теперь он со мной не разговаривает. Я-то при чем?

20 сентября

Подкинул Коту записку с предложением мира. Тот долго делал вид, что умеет читать. В итоге сожрал ее и сказал, что согласен. Кажется, я его недооценивал. Перепрятал дневник.

22 сентября

Рубились с Котом на щелбаны в камень-ножницы-бумагу. Неинтересно с ним играть. Потому что, кроме бумаги, он ничего поставить не может. Теперь лежит на кровати и жалуется на головную боль.

23 сентября

Приходил сантехник. Попросил ключ на шестнадцать.

Я ему подал. Что за привычка — падать в обморок?

25 сентября

Опять поп, опять кадило. Попросил его сильно не дымить. Он сказал, что раз деньги уплочены, надо потерпеть. Намекнул ему про откат. Он сделал вид, что перестал меня слышать.

26 сентября

Сказал Коту, что в герани много витаминов. Что будее-ет...

27 сентября

Хозяйка второй день спит со светом. Я периодически выключаю. Мешает же... Каждый раз засыпаю под молитву. По-моему, Есенин лучше писал.

28 сентября

Отмечали день рождения Кота. Пили валерьянку, катались на шторах, пели песни. Вечером сидели на подоконнике. Кот ходил по парапету и кричал, что если упадет, то ни фига не будет, потому что у него девять жизней. Таким дурным по пьяни становится...

29 сентября

Хреново... Молока бы...

30 сентября

Смотрели с Котом «Animal Planet». Говорит, что все львы тупые качки, потому что сидят на анаболиках. Мне кажется, просто завидует.

2 октября

Сказал Коту, что, если сидеть в коробке, реально можно похудеть. Хожу, ржу...

3 октября

Завтра к нам в гости приезжает хозяйкина мама. Ждем-с...

4 октября

Вот и дождались. Приехала мама Хозяйки. Встречал ее хлебом-солью. То есть крошками на кровати и солью в чае. Не люблю гостей. Кот сказал мне, что я — социофоб. Не спорю.

5 октября

Хахаль в гипсе приходил знакомиться с мамой. Такой наглости не выдержал даже толерантный Кот. Все-таки надудонил. В ботинок. В правый.

6 октября

Кот отхватил и от Хозяйки, и от Зинаиды Захаровны — ее мамы. Хахаль воздержался. Кот перенес все героически. Потом спрашивал у меня — похож ли он на Жанну д'Арк. Откуда он про нее знает?

7 октября

Играли с Котом в футбол пробкой от шампанского. Зинаида Захаровна наступила на нее и влетела лбом прямо в шкаф. Теперь называем ее Зинедином Зиданом. За глаза, конечно же.

8 октября

Хозяйка жаловалась Зидану на меня. Она ответила, что это все бред и убрала мою чашку с молоком. Это война. Карфаген должен быть разрушен.

9 октября

На экстренном заседании Кот объявил себя нейтралитетом. Предатель! Ничего, сам справлюсь.

10 октября

Ночью душил бабку. Хоть бы хны! Теперь она еще и храпит как сивый мерин!

11 октября

Сегодня в два часа ночи Хозяйка и бабка столкнулись лбами у холодильника. Встреча кишкоблудов на Эльбе, блин!

12 октября

Воевать нет настроения. Весь день валялся на кровати с бабкой, смотрел 27-й сезон «Поле чудес» на DVD. Ржал с ее комментов.

14 октября

Рассуждали с Котом о теории струн. Сошлись на том, что на шестиструнке слабать «Восьмиклассницу» гораздо проще.

15 октября

Включили отопление. Наконец-то! Кот думает, что фильм «Батареи просят огня»,— о работниках ЖКХ.

16 октября

Сказал Коту, что если залезть на обеденный стол, то этим он утвердит свое лидерство в квартире. Тот долго сомневался, но полез. Хозяйка появилась как всегда внезапно. Пролетая мимо меня, он успел обозвать меня говном. Два раза.

17 октября

Ночью шептал бабке на ухо, что ей пора домой. Она встала и пошла жрать пельмени. Женщины… Никакой логики…

18 октября

Кот решил бросить есть kitekat. Ходит злой, нервный. Ночью пять раз ходил на балкон, типа в туалет. Kitekat'ом несет за версту. Сорвался, но продолжает утверждать, что может бросить в любой момент. А не бросает потому, что это его успокаивает.

19 октября

Кажется, бабка собирается домой. Слава Перуну!

20 октября

Устроили бабке проводы. Кот нагадил ей в галоши. Видать, она его тоже достала. Бабка не заметила, так и потопала. Научил Кота мочить краба. Достойный поступок. Прощай, Зинедин! Ты навсегда останешься в наших сердцах! Мы запомним тебя такой — в галошах, полных говна…

22 октября

Уронил на Хозяйку икону. Моя миска вернулась на место. Кажется, мы начинаем находить общий язык.

23 октября

Сказал Коту, что когти лучше всего точатся о мягкую мебель. Теперь сидит в запертой кладовке и орет матерные частушки о Домовых. Кстати, некоторые очень даже ничего.

24 октября

Хахалю сняли гипс. Приходил сегодня. Изучаю анатомию. Пишут, что очень легко ломается ключица. На ней и остановимся.

25 октября

Хозяйка хочет завести собаку. Кот дудонит во всех смыслах и углах. Посмотрим, кто кого...

29 октября

Завтра должны привезти собаку. Кот постоянно умывается и делает вид, что ему по фигу. А сам вчера убирался в кладовке и учился закрывать за собой дверь.

30 октября

Ой... Только проржался! Привезли ее. Не знаю, какой породы, но из этих... которым, чтобы шаг сделать, нужно инсульт пережить. Карманный пес! Кстати, Кот сидит в кладовке и кричит оттуда: «Ну что там?» Сказал ему, что привезли волкодава. Тот ответил мне, что пока еще занят, много работы и ночевать будет в кладовке. А голосок-то дрожит...

31 октября

Знакомился с Халком. Это так зовут этого немощного. Пока здоровался с ним, тот пару раз обделался под себя. Хозяйка называет его Пусиком и не лупит. Как-то даже за Кота обидно...

СОДЕРЖАНИЕ

Литературно-художественное издание
18+

БЕСПРИНЦЫПНЫЕ ЧТЕНИЯ

От «А» до «Ч»

Ведущий редактор *Евгения Полянина*
Художественный редактор *Юлия Межова*
Технический редактор *Валентина Беляева*
Компьютерная верстка *Ольги Савельевой*
Корректор *Валентина Леснова*

Подписано в печать 02.10.2018.
Формат 70 x 108 1/32. Усл. печ. л. 11,2.
Печать офсетная. Бумага офсетная.
Гарнитура BookmanLightITC
Тираж 5000 экз. Заказ № 10089.
Изготовлено в ноябре 2018 г.
Произведено в Российской Федерации
Общероссийский классификатор продукции
ОК-034-2014 (КПЕС 2008)
58.11.1 — книги, брошюры печатные
ТР ТС 007/2011

Изготовитель: ООО «Издательство АСТ»
129085, Российская Федерация:
г. Москва, Звёздный бульвар, дом 21, строение 1,
комната 705, пом. I, 7 этаж.
Наш электронный адрес: **www.ast.ru**
E-mail: **astpub@aha.ru**

«Баспа Аста» деген ООО
29085, Мәскеу қ., Звёздный бульвары, 21-үй, 1-құрылыс, 705-бөлме, I жай, 7-қабат.
Біздің электрондық мекенжайымыз: www.ast.ru
E-mail: astpub@aha.ru

Интернет-магазин: www.book24.kz
Интернет-дүкен: www.book24.kz
Импортёр в Республику Казахстан ТОО «РДЦ-Алматы».
Қазақстан Республикасындағы импорттаушы «РДЦ-Алматы» ЖШС.
Дистрибьютор и представитель по приему претензий на продукцию
в республике Казахстан: ТОО «РДЦ-Алматы»
Қазақстан Республикасында дистрибьютор
және өнім бойынша арыз-талаптарды қабылдаушының
өкілі «РДЦ-Алматы» ЖШС, Алматы қ., Домбровский көш., 3«а», литер Б, офис 1.
Тел.: 8(727) 2 51 59 89,90,91,92
Факс: 8 (727) 251 58 12, вн. 107; E-mail: RDC-Almaty@eksmo.kz
Өнімнің жарамдылық мерзімі шектелмеген.

Өндірген мемлекет: Ресей
Сертификация қарастырылмаған

Отпечатано с готовых файлов заказчика
в АО «Первая Образцовая типография»,
филиал «УЛЬЯНОВСКИЙ ДОМ ПЕЧАТИ»
432980, г. Ульяновск, ул. Гончарова, 14

«Понаехавшая» — история жизни маленького человека в большом городе. История смешная, немного горькая, но, безусловно, добрая.

У каждого понаехавшего своя Москва. У героини этой книги город именно такой, каким она захотела его увидеть: шумный, бестолковый, но удивительно незлобивый — благодаря чудесным людям, готовым предложить помощь именно тогда, когда, казалось, ждать ее не от кого.

Быть понаехавшим не так уж и сложно, когда вокруг есть те, о которых потом, спустя десятилетия, вспоминаешь с любовью и благодарностью.